Le Livre de Poche
Jeunesse

Après ses études de peinture, Vivien Dolores Alcock entreprit une carrière artistique et si, depuis une huitaine d'années, elle s'est mise à écrire, crayons et pinceaux ne sont pas abandonnés pour autant. C'est en Belgique, pendant la dernière guerre, qu'elle a rencontré son futur mari : Leon Garfield. Il faisait alors partie des services de santé de l'armée britannique; elle conduisait une ambulance. Tout les rapprochait : activités, formation artistique, goûts littéraires. Elle l'épousa en 1948. Vivien Alcock ne ressemble à personne; avec le naturel d'une langue spontanée, elle a le don de l'image, du mot savoureux qu'on n'attendait pas, de la trouvaille. Son style est comme elle : direct et subtil, avec son sourire à lire entre les lignes.

Le fantôme vous salue bien...

Vivien Alcock

Le fantôme vous salue bien...

Traduit de l'anglais
par Simone Lamblin

Couverture et illustrations
de Boiry

Le Livre de Poche

L'édition originale de ce roman
a paru en langue anglaise
chez Methuen Children's Books, Ltd., Londres
sous le titre :

GHOSTLY COMPANIONS

Pour Daisy et John.

1

La Mariée de la Mer

Je l'ai vue, et tout de suite j'en ai eu envie. Elle était posée par terre, toute droite, devant chez Willoughby, regardant par-dessus ma tête, de ses beaux yeux noirs. Rien ne m'alerta : aucun nuage ne vint brusquement obscurcir le ciel, aucun vent ne glaça ma nuque. Je la trouvais belle.

Nous sommes des chasseurs, mon père et moi. Des chasseurs d'affaires. « Walter Muffat, antiquités », c'est nous, ou plutôt c'est mon père ; en grandissant, je suis devenu « et fils » en lettres d'or au-dessus de la boutique. A l'époque, j'étais seulement « Sam Muffat, occasions ». Pendant les vacances, j'ai un stand dans la cour pavée, à côté du magasin ; une pancarte écrite à la main annonce : « Sam Muffat, occasions, fins de séries. Si rien ne vous convient à l'intérieur, essayez chez moi. »

Ma mère n'était pas d'accord ; à son avis, c'était minable. Mais mon père s'en amusait :

« Il faut bien commencer modestement. Sam a raison, on ne démarre jamais trop jeune dans ce métier. »

Car je n'avais que douze ans, douze ans tout juste : c'était mon anniversaire. Je me sentais riche et dans un bon jour, au moment de partir avec mon père pour la salle des ventes de Willoughby. J'avais trente-huit livres dans ma poche — cadeaux d'anniversaire et économies — et j'allais dénicher l'affaire qui ferait ma fortune. Du moins, je le croyais.

Mais Willoughby était beaucoup plus prestigieux que les ventes aux enchères dont j'avais l'habitude ; beaucoup plus que les bazars et ventes de charité où j'achetais d'ordinaire pour alimenter mon étalage. C'était plein de marchands venus de Londres, qui saluaient mon père d'un signe de tête et, après un rapide coup d'œil pour moi, se mettaient à parler comme si je n'avais pas existé. J'aurais voulu leur dire que j'étais commerçant aussi bien qu'eux mais il me semblait avoir perdu la voix.

Il n'y avait pas assez de chaises et, n'étant qu'un gamin, je dus m'en passer. Je me perchai au bord d'une table style Victoria — acajou, un pied réparé — jusqu'à ce qu'un porteur m'éjecte. Alors je m'assis sur un appui de fenêtre, si étroit et si dur que je craignais de me retrouver coupé en deux. Tandis que j'étais tout yeux et tout oreilles, je sentais l'argent fondre dans ma poche ; mon père m'avait prévenu : « Avec trente-huit livres, on ne va pas loin chez Willoughby ! » Il avait raison.

« Qui est preneur à cent ? demandait le commissaire-priseur. Nous disons cent... Cent dix... Cent vingt... Cent quarante... Cent quarante, qui dit mieux ? »

Je commençais à penser que je n'aurais jamais une chance de faire une offre.

Alors, on présenta une bergère de porcelaine, complète avec ses moutons — Staffordshire, vers 1875.

« Qui fait une offre ? Qui est preneur pour vingt livres ? »

Je n'avais toujours pas retrouvé ma voix mais ça n'avait pas d'importance. Beaucoup de marchands se contentent de faire signe au commissaire-priseur avec leur catalogue ou d'un mouvement de tête. C'est d'ailleurs une plaisanterie classique : si vous éternuez pendant une vente, vous risquez de vous retrouver avec un piano à queue, que vous avez acheté sans le savoir ! Mais ce n'est pas vrai : j'aurais pu avoir le rhume des foins que le commissaire ne s'en serait pas soucié le moins du monde. Il m'avait vu lever mon catalogue, je le savais car il me regardait fixement ; son regard descendait de ma tête à mes pieds et retour (ce n'était pas un long voyage : je suis petit pour mes douze ans). Puis il décida de m'ignorer et retint l'offre d'une grosse femme en manteau vert.

« J'ai une offre à vingt livres. Vingt-deux... Vingt-quatre... Vingt-six. Vingt-six, qui dit mieux ? »

Cette fois, j'agitai mon catalogue si vigoureusement que je faillis tomber de mon perchoir. Là, il m'avait bien vu.

« Je ne sais pas si le jeune homme a fait une offre, dit-il, ou s'il chassait une mouche... »

Tout le monde rit et se tourna vers moi. Mon visage devint cramoisi. Je les haïssais tous. Marmonnant quelques mots inaudibles, je glissai de mon bord de fenêtre et tentai, sans succès, de disparaître à travers le plancher.

« Mon fils a fait une offre, dit mon père, ennuyé pour moi. Vingt-huit livres, monsieur. »

La grosse femme au manteau vert me sourit méchamment. « Trente », dit-elle.

L'objet partit à trente-six livres et pas pour moi. Je n'en voulais plus, je ne voulais plus rien de cette infecte salle des ventes. Je n'étais même plus sûr de vouloir être encore « et fils » en lettres d'or audesssus de la porte de notre magasin.

Mon père me jeta un coup d'œil, désolé de voir gâché le plaisir de mon anniversaire. Il est très chouette, mon père. Je lui souris et chuchotai: « Bon, j'ai brisé la glace, non? A propos de glace, je vais faire un tour dehors pour m'acheter un esquimau. Je suis là dans une demi-heure. » Et je fis de la main un geste désinvolte, pour n'avoir pas l'air d'un gars dont la première offre est passée inaperçue et la seconde a été prise pour une blague.

C'est ainsi que je sortis de chez Willoughby, rafraîchissant à l'air du dehors mes joues brûlantes, au moment où on la déchargeait de la camionnette pour la poser avec précaution sur le trottoir. Car ma beauté aux yeux noirs était une figure de proue. Elle se penchait en avant comme pour affronter les vagues. Sa chevelure, d'une peinture noire et brillante, flottait derrière elle sur ses épaules. Ses joues étaient roses, sa peau blanche, et ses seins, aussi gros que des melons d'eau, semblaient sur le point de bondir hors de sa robe vert-de-mer. Elle n'avait, naturellement, pas de pieds ; un lourd socle de fer la supportait, sinon elle serait tombée sur le nez.

Ils pouvaient bien garder leurs bergères de porcelaine avec leurs chichis. Je voulais cette beauté sévère (car elle ne souriait pas). Ses yeux noirs, fixés si intensément sur un horizon lointain, semblaient refléter des merveilles que je ne pouvais voir : des îles étranges, des poissons volants, de grandes baleines blanches... Elle gardait autour d'elle l'odeur de la mer, et luisait de toute sa brillante peinture comme si elle en était encore mouillée. Un store de magasin claquant dans la brise devenait un galion à pleines voiles. Les pavés de pierre semblaient bouger sous elle comme si la ville entière, tout à coup, était à flot.

Je la voulais. Je voulais l'avoir dans notre cour, entre mon stand et le bac de géraniums rouges, attirant les regards de tous les riches amateurs qui passeraient par là. Mais je me disais que c'était impossible.

Le marchand à qui elle appartenait (H. Wiggins et fils, lisait-on sur le camion) discutait avec un employé de Willoughby.

« On ne peut pas la prendre avant le 17, monsieur, disait celui-ci.

— Cela ne va pas. Aujourd'hui, il faut que ce soit aujourd'hui. Allons, vous pouvez bien la glisser à la fin...

Le marchand discutait avec un employé de Willoughby.

— Je suis désolé, monsieur, mais ça risque de finir tard.

— Je pourrais vous dédommager », suggéra le marchand, faisant tinter quelques pièces dans sa poche. Mais l'autre ne voulait rien entendre. Je le connaissais, il s'appelait Alf et il avait une petite amie qui travaillait chez Boots. Peut-être allait-il la sortir ce soir. C'était peut-être *son* anniversaire ?

« On peut vous la garder en magasin, monsieur », proposa-t-il.

H. Wiggins n'avait pas l'air convaincu.

« Je pars demain. Je voulais en être débarrassé... Je voulais m'en défaire. »

Tandis qu'ils parlaient, je tournais autour de ma beauté, l'examinant en connaisseur. La peinture, qui de loin m'avait paru fraîche et neuve, révélait maintenant des craquelures à travers lesquelles on apercevait le bois. Du chêne, pensai-je, très foncé, tanné, hâlé, patiné par les intempéries. J'avançai la main...

« Ne touchez pas ! » dit vivement un jeune homme. Il restait adossé au camion, mince silhouette en jean délavé et chandail en loques. « Et fils », me dis-je.

« Il est du métier, dit Alf avec un signe de tête vers moi, Walter Muffat, antiquités : c'est le fils. Vous pouvez peut-être arranger ça entre vous ? » Il me fit un clin d'œil et rentra en hâte dans les salles de vente.

H. Wiggins et fils me regardaient d'un air préoccupé.

« Du métier, hein ? Votre papa est là ? » fit le plus âgé en pointant son pouce du côté de chez Willoughby.

Je secouai la tête. Ce n'était pas vraiment un mensonge : je ne voulais pas dire « non », je chassais simplement une mèche qui me tombait sur l'œil. Ce n'était pas ma faute s'ils m'avaient mal compris.

« Ça pourrait m'intéresser, dis-je, si le prix est correct. Je suis marchand. »

Je m'attendais à les voir rire, c'est toujours ce que font les gens quand je dis ça. Mais H. Wiggins et fils, non. Ils avaient plutôt l'air triste ; le visage pâle et fatigué. Leurs yeux sombres étaient graves et m'épiaient avec une sorte de morne espoir.

Sans doute cela aurait-il dû m'alerter, mais je m'amusais enfin. Je me promenais complaisamment autour de la figure de proue, scrutant de près la peinture, caressant légèrement son bras, la frappant du doigt comme si j'avais pu ainsi déceler immédiatement les vers ou les fissures.

« Ça sonne comme une cloche, dit le vieux.

— Elle a été repeinte, fis-je sévèrement, car la peinture, même craquelée, ne pouvait pas être d'origine.

— Restaurée, convint-il.

— Hum ! » Je me tapotai le menton avec mon pouce, comme faisait mon père quand il se donnait l'air sceptique. Puis je demandai :

« D'où vient-elle ?

— Newcastle. D'une frégate victorienne : *La Mariée de la Mer*, qui navigua en son temps dans toute l'Inde orientale. La Mariée de la Mer, c'est un joli nom pour elle maintenant. » Il fit un geste pour lui claquer les fesses mais se ravisa et replongea la main dans sa poche. « Une beauté plantureuse, non ? » dit-il sans la quitter des yeux.

Son expression me troubla : pas l'ombre d'admiration, quoi qu'il pût dire ; il avait presque l'air de la détester. Mais moi, avec mes trente-huit livres en poche et ma tête pleine de voiles sur des mers étincelantes, je n'entendis pas la cloche d'alarme.

« Combien en voulez-vous ? » demandai-je.

Ils se rapprochèrent, de chaque côté de moi et, entre eux deux, je me sentis tout petit.

« Faites-moi une offre », dit H. Wiggins.

C'est ce que je ne voulais pas ; j'avais peur qu'ils me rient au nez en me voyant proposer si peu, car je pensais qu'elle valait au moins deux cents livres.

Je reculai, haussai les épaules et hochai la tête lentement. Ils m'observaient.

« Les affaires vont mal », dis-je.

Ils approuvèrent d'un geste, presque avec empressement.

« Les gens n'achètent pas, surtout des choses comme ça », insistai-je en désignant la figure de proue.

Ils acquiescèrent en secouant la tête : « Oui, le commerce va tout doucement, l'argent se fait rare. Vous aurez du mal à lui trouver un acquéreur. »

J'étais déconcerté. Voilà qu'ils abondaient dans mon sens ; ce n'était pas ainsi qu'on traitait les affaires d'habitude.

« Allons, jeune homme, dit le père, pour vendre tout de suite, je suis prêt à la laisser très bon marché. Ridiculement bon marché. Ne soyez pas timide, faites-moi une offre. Je ne rirai pas, si basse soit-elle.

— Vingt-cinq livres », dis-je, et ma voix dérapa dans l'aigu, tel était mon embarras.

Mais ils ne riaient pas ; ils échangeaient des regards indéchiffrables. Puis le père dit : « Cinquante. »

J'étais stupéfait : cinquante livres seulement ? Mon cœur se mit à battre ; j'essayai de cacher mon excitation mais je me sentis rougir.

« Trente, dis-je.

— Oh ! vous avez de la chance, jeune homme, je suis d'humeur généreuse aujourd'hui. Quarante livres ; pas un penny de moins. »

Si près... si près de mon chiffre !

« Trente-cinq. » Ma voix devenait rauque. « Trente-cinq et pas un penny de plus.

— D'accord ! » H. Wiggins l'avait dit si vite que sa bouche s'était ouverte et refermée comme un piège. « C'est une affaire ! »

Il tendit la main et je la serrai, puis, voyant qu'il la laissait ouverte, j'y comptai la somme, de mes doigts tremblants. Il me donna un reçu, enfouit négligemment l'argent dans sa poche, et sourit pour la première fois.

« Vous êtes dur en affaires, fils de "Walter Muffat, antiquités", dit-il. Trop malin pour un vieux bonhomme comme moi. Elle est à vous, jeune homme, plus à moi. Elle est toute à vous ! » Ses yeux brillaient d'une joie secrète. « Et puissiez-vous avoir avec elle plus de chance que je n'en ai eu. »

Il grimpa dans sa camionnette et j'entendis démarrer le moteur. Le fils s'attardait sur le trottoir ; il avait l'air mal à l'aise. Ses yeux, dans son mince visage, étaient rouges et cernés comme s'il n'avait pas dormi depuis des nuits et des nuits.

Il vint vers moi et me dit tout bas : « Laissez-la dehors. Ne la rentrez pas dans le magasin, ne la gardez pas dans la maison. »

J'avais dû trahir ma surprise car il ajouta vivement : « Il ne lui arrivera rien. Pas à elle. Pluie et grésil, grêle et vent ne lui feront aucun mal. Laissez-la dehors et... » Sa voix sombra en un soupir : « Et fermez les fenêtres le soir. »

Puis il sauta dans la camionnette et disparut au bout de la rue dans un nuage d'échappement. Je restai sur le trottoir, le regard fixe, stupéfait, et mon père, qui sortait de chez Willoughby à ma recherche, rit en me voyant là. J'avais l'air ensorcelé, dit-il, et je balançais sur mes pieds comme si j'avais été en mer.

On installa La Mariée de la Mer dans la cour, près du bac de géraniums. J'espérais que le soleil n'allait pas se cacher ; il fallait qu'elle paraisse à son avantage.

« Je ne l'aime pas », dit ma sœur. Becky n'a que sept ans et elle est très sotte.

Mais ma mère semblait impressionnée : « Trente-cinq livres ! dit-elle. Tu plaisantes ? Il doit y avoir une erreur. » (C'est un grand compliment pour ma mère, elle se méfie des affaires trop avantageuses. Quand mon père lui a offert sa main et son cœur, elle les a examinés à la loupe, en quête d'un défaut caché.) « Il t'a donné un reçu ?

— Oui. » Je le lui montrai.

« H. Wiggins et fils, Portsmouth. Jamais entendu parler. Et toi, Walter ? »

Mon père secoua la tête. « Il y a beaucoup de marchands dont je n'ai jamais entendu parler », dit-il en riant. Mais il avait l'air perplexe. « A quoi pensait-il, ce gars ? Il aurait pu en tirer deux cents livres dans n'importe quelle vente.

— Peut-être qu'il ne l'aimait pas, dit Becky, il n'aimait peut-être pas son regard fixe.

— Tu crois que c'est un faux, Papa ? demandai-je avec inquiétude.

— Pour moi, elle a l'air authentique. Mais je ne suis pas expert ; ce n'est pas ma spécialité. Je demanderai au vieux Watson d'y jeter un coup d'œil. Ne t'en fais pas, Sam, elle vaut bien son prix, même s'ils l'ont bricolée dans leur arrière-boutique. C'est une belle fille. La Mariée de la Mer, hein ? Mme Neptune elle-même ! Espérons que son vieux ne viendra pas la reprendre.

— Quel vieux ? demanda Becky.

— Le père Neptune », expliquai-je. Il faut toujours expliquer les astuces avec Becky.

« C'est qui ?

— Le dieu de la mer.

— Pourquoi il la voudrait ?

— C'est sa femme, sa mariée...

— La marée ? »

Avec Becky, ça peut durer comme ça pendant des heures.

« Je ne l'aime pas »,
dit ma sœur.

« Oh ! assez ! criai-je.

— Ta Mme Neptune est une jeune femme hautaine, dit ma mère, elle a l'air de penser que notre cour n'est pas assez bonne pour elle.

— Tu ne l'aimes pas, Maman ?

— Oh ! ...si. Oui, mon chéri, bien sûr, dit-elle sans conviction.

— Moi non ! fit Becky. Elle est horrible, je la déteste ! »

Qu'est-ce qui leur prenait ? Voilà, pensai-je en apercevant une trace de chocolat sur la joue de Becky, c'est mon anniversaire. C'est ça l'ennui ; les anniversaires des autres durent trop longtemps. J'eus pitié d'eux : « Qu'y a-t-il pour le goûter ? » demandai-je.

Becky était ravie. « Des biscuits de mer et de l'eau salée ! Des biscuits de mer et de l'eau salée ! » se mit-elle à scander d'une voix perçante en se tordant de rire.

Bizarre. Nous sommes à presque cinquante kilomètres de la côte la plus proche, et pourtant il me sembla un instant sentir l'eau salée. Je n'avais pas envie de rentrer dans la maison ni de manger les saucisses et les cacahuètes, les sandwiches et le gâteau avec ses bougies. J'aurais voulu rester dans la cour où la brise fraîche semblait apporter la senteur de la mer lointaine. Je regardai derrière moi : elle avait l'air si seule, ma beauté aux yeux noirs. Penchée en avant, elle tirait sur son socle de fer comme si elle avait voulu s'en arracher.

Un grand vent se leva pendant la nuit. Bien que j'aie dormi au son, ses plaintes durent envahir mes rêves ; j'eus un cauchemar, je ne me rappelais pas à quel sujet, et je m'éveillai, ne gardant de mon sommeil que la terreur.

Becky était dans ma chambre. « Sam ! réveille-toi ! Ta Mme Neptune est partie ! »

Je sautai du lit et courus à la fenêtre. En bas, dans la cour, il y avait des tuiles brisées sur le sol. Les poubelles renversées avaient éparpillé leurs ordures partout. Une branche avait été arrachée au bouleau argenté.

Alors je la vis : elle était tombée en travers de nos grilles de fer forgé et penchait en dehors dans la rue.

« Sam ! appela mon père en m'apercevant à la fenêtre. Viens m'aider !

— Comment est-elle venue là ?

— Sais pas. Emportée par le vent, je suppose... C'est drôle : on aurait pu penser qu'elle tomberait avant d'atteindre les grilles. Heureusement qu'on les avait fermées pour la nuit, ou qui sait jusqu'où elle serait allée ? »

Elle était lourde, et une partie du socle était encore prise dans les arabesques des grilles. Mon père ne pouvait la soulever seul. Je m'habillai en hâte et descendis l'aider. Vus de près, ses yeux étaient aussi noirs et brillants que du goudron ; elle fixait si intensément le bas de la colline... Impossible de croire qu'elle ne regardait pas quelque chose, une chose trop lointaine pour m'être visible. Ce n'était pas la route vers la côte, non, c'était derrière notre maison.

« Si on continue par là, aussi loin qu'on peut, dis-je, le doigt tendu, où est-ce qu'on arrive, Papa ?

— Retiens-la un peu, Sam. Encore un peu, dit mon père. Doucement, maintenant. Elle se redresse. »

Elle était vraiment lourde. « Papa, soufflai-je, haletant, où est-ce qu'on peut arriver, si...

— J'ai entendu la première fois ! (Doucement ! fais attention.) Ben, on finit sans doute par rejoindre la mer. Nous sommes sur une île ; de quelque côté que tu ailles, tu arrives toujours à la mer. »

Ma pauvre Mariée ! Cet après-midi-là, mon père fixa son socle de fer au mur derrière elle.

« Il ne faut pas qu'elle s'échappe à nouveau, dit-il. Ça la retiendra. »

Il me sembla qu'elle avait l'air furieuse. Je balayai notre cour, la remis en état et désherbai les bacs de géraniums rouges. Si j'avais cru l'apaiser, c'était raté. Cette nuit-là, l'eau envahit, je ne sais comment, notre magasin, tachant le dessus poli d'une table de Sheraton et trempant les sièges des chaises de tapisserie.

« D'où ça vient-il ? » fulminait mon père. Il regardait en l'air comme pour s'en prendre à Dieu lui-même. Il n'y avait au plafond aucune trace d'humidité.

« Avais-tu laissé une fenêtre ouverte ? demanda ma mère.

— Non, bien sûr !

— Ça vient peut-être de la cheminée, suggérai-je.

— Ne dis pas de bêtises, Sam ! » hurla mon père.

Je rougis et m'en allai, ignorant les excuses dont il me poursuivit. Becky me rejoignit dans la cour.

« C'est elle, chuchota-t-elle. C'est elle qui a fait ça.

— Ne sois pas stupide, dis-je, tout en m'avouant que j'aurais pu aussi bien en convenir.

— Elle l'a fait ! Elle l'a fait ! C'est une sorcière de mer, dit Becky. Je la déteste ! »

Elle se campa devant Mme Neptune et lui tira la langue. Mais aussitôt, elle parut effrayée, courut vers moi et me prit la main. Il y a des moments où elle est vraiment stupide.

« Elle ne peut pas te faire de mal », dis-je pour la rassurer. Je tendis la main et tapotai le bois du bras blanc : « Elle n'est pas vivante.

— Touché du bois ! Tu as touché du bois ! » cria Becky en gloussant.

La Mariée de la Mer regardait par-dessus nos têtes, de ses superbes yeux noirs. Le soleil disparut et un petit vent fit frémir le lierre. De nouveau il me sembla respirer la senteur salée de la mer, comme un parfum qu'elle aurait porté.

« Mais qui elle cherche ? souffla Becky. Qui est-ce qu'elle cherche tout le temps comme ça ? »

Je m'éveillai de bonne heure le lendemain matin. Il avait dû pleuvoir à verse pendant la nuit. Je n'avais pas fermé ma fenêtre et les rideaux étaient trempés. Il y avait sur le tapis une tache humide et sombre, comme du sang ; la teinture avait coulé de mes pantoufles neuves : quand je les pris, j'eus du rouge sur les mains.

Je regardai par la fenêtre. En bas dans la cour, Mme Neptune était toujours là, luisante de pluie à la lumière du matin. Comme elle était belle ! Vivante, presque. J'aurais juré qu'une mèche de ses cheveux se soulevait doucement dans le vent.

Je m'habillai vite et sortis. Des flaques d'eau remplissaient tous les creux du pavage, et de petites pierres grises et brunes étaient éparpillées partout. En marchant, je regardais autour de moi, perplexe. Puis je posai le pied sur quelque chose de mou et de charnu, comme la main d'un homme gras. Je fis un pas en arrière.

C'était un poisson mort. Ses yeux ronds luisaient comme verre, sa peau d'argent était rayée de noir : un maquereau.

Je le ramassai. Il était tout raide. Je pensai d'abord que notre chat avait dévalisé le garde-manger ; puis je remarquai qu'il y en avait d'autres, flottant dans les flaques, pris dans le lierre, à demi cachés parmi les géraniums rouges. Il devait y en avoir une bonne vingtaine.

Je les réunis dans un vieux seau et les cachai dans la remise. Je ne sais pourquoi. Ils me mettaient mal à l'aise. Puis je balayai les galets et les dissimulai derrière les poubelles. Ma mère arriva au moment où je rangeais le balai.

« Tu t'es levé de bonne heure, Sam. Encore à remettre de l'ordre pour Mme Neptune, je vois. Eh bien, elle n'a pas l'air d'avoir souffert de la tempête, cette nuit.

— Pluie et grésil, grêle et vent ne lui feront aucun mal. »

Maman parut surprise. « Cela vient d'un poème ? demanda-t-elle. Bon, elle est peut-être à l'épreuve des intempéries mais, si tu veux mon avis, c'était quand même aussi bien que Papa la fixe contre le mur. Elle aurait pu tomber et se briser. Petit déjeuner dans dix minutes, Sam.

— Il n'y a pas de maquereaux, dis, Maman ?

— Non, pourquoi cette idée ? Je peux t'en faire avec le thé, si tu veux.

— Non, je n'aime pas le poisson. »

Elle me regarda et hocha la tête en souriant. « Enfantillages ! » dit-elle, et elle rentra dans la maison.

J'allai à la remise, retirai les poissons du seau et les enveloppai dans un vieux bout de toile à sac. Puis je sortis par la grille de la cour, descendis vivement la rue et déposai mon paquet dans la poubelle de la vieille Mme Rutherford, le poussant

C'était un poisson mort.

bien au fond pour le glisser sous les coquilles d'œufs et les feuilles de thé.

Au retour, en courant pour traverser la cour, je glissai sur quelque chose et tombai, m'écorchant les genoux. Une espèce de mauvaise herbe m'avait déséquilibré. Je la détachai de ma sandale ; c'était brun foncé, caoutchouteux et couvert de petites cloques qui crevaient entre mes doigts : une algue. Elle puait la mer. Comment était-elle arrivée là ? Et les poissons ? et les galets ? Je ne savais pas ; il y a presque cinquante kilomètres d'ici à la côte la plus proche...

« Qu'est-ce que tu fais par terre ? » C'était ma sœur, encore en chemise de nuit, ses pieds nus barbotant dans une flaque. « Elle t'a renversé ?

— Qui ça ?

— Elle. Mme Neptune.

— Fais pas l'idiote ! dis-je en me relevant. Ce n'est pas une personne ; elle est en bois ! »

Becky se taisait, elle suçait une manche de sa chemise avec un air sournois.

« Pourquoi tu ne l'aimes pas ? » demandai-je, intrigué.

Je pensai d'abord qu'elle ne dirait rien. Puis elle s'approcha, m'attrapa par l'oreille pour attirer ma tête à son niveau.

« Elle ne t'aime pas », murmura-t-elle.

Cela me fit de la peine. C'est idiot, je le sais, mais d'une certaine manière, j'en fus blessé. Je regardai Mme Neptune ; je la trouvais toujours belle. Ses yeux noirs regardaient toujours par-dessus ma tête. Penchée en avant sur son support, elle semblait impatiente ; comme si elle avait attendu quelqu'un. Mais ce quelqu'un n'était pas moi.

Le soir, je fermai ma fenêtre. Ma mère, qui venait dans ma chambre pour le baiser du soir, se plaignit qu'on y étouffait comme dans un four.

« Pourquoi as-tu fermé ta fenêtre, Sam ? Tu ne pourras jamais dormir avec cette chaleur.

— N'ouvre pas, M'man ! Laisse, je t'en prie ! »

Elle me regarda sans comprendre.

« Il va pleuvoir cette nuit, dis-je.

— Une petite pluie ne fait pas de mal. Cela vaut mieux que de rôtir. » Elle ouvrit la fenêtre d'une quinzaine de centimètres en haut.

« Comme cela », dit-elle.

Aussitôt qu'elle fut en bas, je fermai de nouveau, puis j'allai sur la pointe des pieds dans la chambre de Becky, à côté. Elle dormait, son ours serré entre ses bras. Tout doucement, sans me presser, je fermai sa fenêtre. Elle n'avait pas bougé.

Quand je m'éveillai, il faisait noir. Mon lit tanguait, l'eau s'abattait contre la fenêtre, le vent hurlait dans la cheminée, la maison tremblait et vacillait autour de moi. Quelque chose en bas s'écrasa. Ma lampe ne marchait plus.

J'entendis ma sœur crier ; des pas coururent jusqu'à sa chambre, puis ce fut la voix de ma mère.

J'étais levé ; franchissant le plancher qui se soulevait, j'allai à la fenêtre regarder dehors : tout y était ténèbres et fracas. Puis un éclair alluma le ciel ; en bas, je vis La Mariée de la Mer. Des oiseaux blancs criaient autour de sa tête. Penchée dans le vent et les vagues, elle semblait immense, pleine de vie, triomphante. Des montagnes d'eau grise l'environnaient en tournoyant. Je vis du bois sombre se briser contre le mur de la maison : un morceau d'épave ? Notre banc de jardin ? Je ne savais pas. Il fit noir de nouveau.

Je m'appuyai au bord de la fenêtre que je sentais craquer et trembler. J'entendis mon père appeler en bas et ma sœur crier encore une fois.

J'ouvris ma fenêtre toute grande : l'eau me gifla le visage, m'inonda, m'aveuglant, salant mes lèvres. Cramponné au bord de la fenêtre, je hurlai dans la nuit :

« Arrêtez ! Arrêtez ! Je la laisserai partir ! Je le promets, je la laisserai partir ! »

Il dut y avoir un autre éclair et je vis une vague immense, verte, translucide, s'avancer vers moi. Elle me parut avoir un visage : de sombres tourbillons étaient ses yeux, une chevelure sauvage et une barbe en cascade ruisselaient sur les joues et le menton. Alors le flot me saisit, me secoua, me roula, tentant de m'aspirer dans cette nuit démente. Mes doigts griffèrent la fenêtre et lâchèrent prise.

Maintenant mon père me tenait dans ses bras ; il me jeta sur mon lit et claqua la fenêtre.

« Dis-lui que je vais la rendre ! » criai-je. Et je crois bien m'être évanoui.

« Quelle terrible tempête ! » dit ma mère. Il était cinq heures du matin, nous étions assis dans la cuisine humide, sur des chaises trempées et nous

Alors le flot me saisit...

buvions du thé. Dehors, tout était tranquille. Personne ne répondit. Nous ne savions que dire.

Le silence sembla lui peser.

« Je n'ai jamais rien vu de pareil. Si vous voulez mon avis, c'est toutes ces bombes atomiques. Ce n'est pas naturel.

— Non », dit mon père. Puis il posa sa tasse et me regarda : « Il vaut mieux y aller. Sam, tu es sûr que tu veux toujours le faire ?

— Oui.

— Walter, c'est ridicule, dit ma mère mal à l'aise. Jeter tout ce bon argent.

— Laisse-les, M'man ! Ne les empêche pas, je t'en prie ! » cria Becky et elle se mit à pleurnicher. Maman passa son bras autour d'elle et ne dit plus rien.

Mon père et moi nous sortîmes dans la cour. Elle était jonchée de débris ; notre banc de jardin était en morceaux, des tuiles brisées étaient éparpillées sur le pavage mouillé. Les géraniums avaient perdu leurs pétales, jetés comme des gouttes de sang parmi les éclats de verre.

Seule La Mariée de la Mer restait intacte. Rivée au mur, elle regardait toujours par-dessus nos têtes, de ses yeux noirs et ronds.

Mon père avait apporté une clef anglaise et un tournevis. Nous la libérâmes de son socle et la portâmes dans notre camionnette. Pendant près de cinquante kilomètres, nous roulâmes dans le matin paisible et gris, jusqu'au rivage. Même sans son socle, elle était lourde. Nous l'installâmes sur notre chariot et la tirâmes sur les galets jusqu'à un vieux mur qui entrait dans la mer comme un doigt de pierre. Il n'y avait personne alentour. Nous roulâmes le chariot sur le sommet large et plat de la jetée. La mer était calme quand nous étions arrivés mais maintenant, de petites vagues accouraient à notre rencontre ; elles clapotaient à nos pieds comme de petites mains mouillées qui nous pressaient d'en finir.

« Attention, Sam, dit mon père, ça glisse. »

Les vagues étaient plus fortes à présent. Comme nous atteignions l'extrémité de la jetée, nous les voyions envahir rapidement la surface unie de la mer. Une autre venait derrière elles, une haute montagne verte, coiffée d'une crête de neige.

« Bon Dieu ! » s'écria mon père et il m'empoigna le bras. Mais elles ne nous noyèrent pas ; elles semblaient plutôt hésiter, hérissant le corps de la mer de pointes d'écume.

« Vite ! »

Nous soulevâmes La Mariée de la Mer entre nous deux et nous la jetâmes à la mer. Une vague bondit à sa rencontre, l'enleva très haut et la roula. Elle nous faisait face maintenant. La blancheur des embruns couronnait sa noire chevelure comme un voile de noce. Tandis qu'elle sombrait, son regard, enfin à mon niveau, se planta dans le mien. Il me sembla qu'elle souriait. Et puis la vague la roula encore et l'emporta rapidement vers le large. Nous la suivîmes des yeux jusqu'à ce qu'elle ne fût plus qu'un point à la surface de l'eau verte.

2

Patchwork

La haute maison de brique rouge allongeait son ombre en travers du chemin. L'herbe poussait sur l'allée de gravier, et les pissenlits parmi les roses à l'abandon. Derrière les fenêtres poussiéreuses, on apercevait vaguement une vieille dame ; tantôt elle regardait dehors comme si elle attendait quelqu'un, tantôt sa tête restait penchée sur son ouvrage, semblant avoir perdu tout espoir. On l'appelait Mme Drummond et elle avait trois horribles filles.

Horribles, c'était le mot. Enfants, elles étaient voraces, me disait tante Sarah, sans cœur, insolentes, s'adjugeant tout ce qu'elles pouvaient et réclamant davantage. Maintenant que leur mère était vieille et pauvre, son mari mort, l'argent et les domestiques partis, elles ne venaient jamais la voir.

Grise comme un fantôme, la vieille dame restait assise à la fenêtre tout le jour, à coudre ses couvertures en patchwork. Pendant ce temps, la maison tombait en ruine autour d'elle. Les tuiles s'envolaient du toit, le plâtre tombait des plafonds ; et toujours elle attendait, en vain...

Tante Sarah, ça la rendait folle.

« Ces horribles filles, disait-elle, je leur tordrais le cou ! »

Je souriais. Tante Sarah, avec ses airs féroces, c'était comme une colombe qui gronde : elle ne trompait personne ; et certainement pas moi. J'étais venue passer avec elle chaque été, les quatre dernières années, et je la connaissais bien.

« Je parie que si elles venaient, tu leur offrirais une tasse de thé, dis-je.

— Moi ? Sûrement pas ! Je ne leur dirais même pas bonjour.

— Je parie que si.

— Pari tenu : dix centimes, dit vivement tante Sarah. Bien que ce soit une honte de voler une enfant.

— Tu crois qu'elles viendront un jour ? » demandai-je avec curiosité. J'avais envie de les voir de mes propres yeux, ces monstres de filles dont j'avais tellement entendu parler. Je crois que je les imaginais un peu avec des serres de vautour et des groins de cochons.

Tante Sarah secoua la tête. « Non, dit-elle, ton argent ne risque rien ; elles ne viendront plus maintenant. Pauvre vieille. Je suis sûre qu'elle ne mange pas assez. » Réfléchissant, elle regardait autour d'elle dans sa cuisine. C'était difficile ; Mme Drummond était fière, elle avait horreur d'accepter une aide qu'elle ne pouvait payer. Si peu qu'elle ait, elle tenait toujours à donner quelque chose en échange. « Tiens, porte-lui cela, Kate, dit tante Sarah en me tendant un panier de ses meilleures pommes, toutes fraîches cueillies à l'arbre le matin même. Dis-lui qu'elles sont tombées et qu'elles pourriront si on les laisse. Et n'oublie pas : n'accepte rien. »

Je promis.

La vieille dame était contente de me voir. Elle accepta les pommes et m'offrit un verre de lait. Me rappelant les consignes de tante Sarah, je prétendis être au régime et pris seulement de l'eau. Je refusai un biscuit et un chocolat mais restai bavarder avec elle. J'aimais la voir coudre ; ses doigts étaient tavelés par l'âge et pourtant l'aiguille volait en tous sens telle une fléchette d'argent, et la couverture s'épanouissait dans ses mains, claire et brillante : une fleur miraculeuse dans la pièce grise de poussière.

Elle dut lire mon admiration dans mes yeux car elle sourit.

« Il faut que je te montre mon chef-d'œuvre », dit-elle.

Elle sortit d'un tiroir un ballot d'étoffe et, le dépliant, l'étala sur le tapis.

Je n'en croyais pas mes yeux ; je n'avais jamais rien vu de pareil. Au centre de la couverture, il y avait des arbres étranges et de bizarres animaux : des licornes blanches en damas, des lions rayés comme des tigres, des chiens dont la queue se terminait en houppe, des oiseaux au plumage fleuri et des serpents tachetés de violet. C'était un couvre-pieds idéal pour un vrai rêveur et je l'adorai.

« C'est magnifique ! dis-je. Oh ! madame Drummond, quelle merveille ! »

La vieille dame eut un sourire de plaisir.

« J'aimerais qu'il soit à toi », fit-elle en le repliant.

Rouge de confusion, je balbutiai : « Je ne peux pas... Je n'aurais pas cru... C'est beaucoup trop ! Vraiment, madame Drummond, je ne pourrais pas accepter.

— Alors, je te le laisserai dans mon testament, dit la vieille dame. Je tiens à ce que tu l'aies. Tu es une bonne enfant. »

Tante Sarah, quand je le lui racontai, se mit à rire.

« Eh bien, j'espère qu'elle se le rappellera. Je serais bien fâchée que ces filles le gardent. Je ne suis pas méchante mais quand je pense à la manière dont elles ont traité leur mère, je souhaite, oui je souhaite que quelque chose vienne leur rabattre le caquet. »

L'été suivant, la vieille Mme Drummond mourut. Elle s'en alla tout doucement pendant son sommeil, m'écrivit tante Sarah. Une fin paisible.

J'étais désolée car j'aimais bien cette vieille dame. Mais je ne pouvais m'empêcher de penser au patchwork des animaux, et je me demandais s'il était à moi maintenant. Je n'en parlai pas, cependant, pour ne pas avoir l'air aussi rapace que les filles de Mme Drummond.

« Crois-tu que je devrais aller à l'enterrement ? » demandai-je à ma mère.

Elle secoua la tête.

« Ce n'est pas comme si nous étions parentes, dit-elle. Les enterrements sont des choses démoralisantes, même quand ce sont des vieux qui meurent. Tu iras dimanche comme prévu. Tante Sarah t'attend avec impatience ; la vieille dame doit lui manquer, et une fille jeune, bruyante et pleine de vie comme toi lui changera les idées. »

Je n'étais pas vraiment flattée de la description mais je laissai tomber.

« Je me demande, dis-je, si les filles de Mme Drummond seront là.

— Tu verras bien », répondit ma mère.

La grande maison rouge semblait plus abandonnée que jamais. Les fenêtres étaient closes. Aucun visage, aucun regard derrière les vitres sales. En passant, je crus un instant entendre des bruits bizarres : cris de terreur, pas précipités et rires stridents. Mais en examinant l'allée d'un bout à l'autre, je ne vis personne et, perplexe, je continuai mon chemin.

Plus tard, nous étions assises dans le jardin et je demandai à tante Sarah s'il y avait quelqu'un dans la maison voisine.

« Non, dit-elle, elle est vide à présent.

— Alors, ses filles ne sont pas venues ?

— Elles sont venues, fit tante Sarah d'un air

sévère. Ça oui ! Elles ont trouvé le moyen de s'arracher à leurs mondanités, juste le temps d'enterrer leur mère. L'œil sur leur montre d'un bout à l'autre de la cérémonie. Sais-tu ce que j'ai entendu l'une des trois dire au curé ? Que c'était tombé au moment le plus fâcheux ! *Fâcheux* ! Qu'aurait-elle dû faire, la pauvre vieille ? Écrire pour demander leur permission : "Puis-je mourir aujourd'hui ou préférez-vous que j'attende la semaine prochaine ?" Les horribles créatures, je les battrais !

— Est-ce qu'elles vont revenir ? demandai-je déçue car j'aurais aimé les voir au moins une fois.

— Oui, mercredi prochain, me dit tante Sarah. Elles veulent trier les affaires de leur mère avant de mettre la maison en vente. Elles doivent y passer la nuit et, de là, se rendre en voiture à quelque grande réception ou je ne sais quoi...

— Avec les maris et tout ?

— Non. Je suppose que ces gens-là sont bien trop occupés à faire de l'argent. Il n'y aura que les trois flemmardes.

— J'espère que leurs lits seront humides et que les plafonds leur tomberont sur la tête ! » m'écriai-je.

A ma grande surprise, tante Sarah, qui avait souvent souhaité les pires choses aux filles Drummond, parut gênée, mal à l'aise.

« C'était un peu embêtant, dit-elle en évitant mon regard. Le curé m'a présentée, disant quelle aide j'avais été pour leur mère — tu sais comme il est maladroit —, je crois qu'elles m'ont prise pour la femme de ménage (comme si elle avait pu s'en payer une, la pauvre !), si bien qu'elles m'ont demandé d'aérer la maison et de leur faire les lits...

— Quel culot ! J'espère que tu les a envoyées au diable !

— Mais, Kate, que voulais-tu que je fasse ? Avec le curé qui était là, disant quelle brave femme j'étais. Et moi qui ne trouvais pas un mot pour lui faire comprendre... Je n'ai rien dit et... j'ai dû hocher la tête...

— Tante Sarah !

— C'est pour la vieille dame que je le fais, dit ma tante sur la défensive. Elle n'aurait jamais voulu que ses filles riches devinent dans quelle misère elle vivait. Bourriques prétentieuses qu'elles sont !

— Et tu leur as offert le thé ? » demandai-je, me rappelant notre pari.

Tante Sarah eut un regard sournois.

« Allez, avoue », lui dis-je.

Elle soupira et, tirant de sa poche une pièce de dix centimes, elle me la tendit.

Je me mis à rire : « Ne t'en fais pas, je t'aiderai à tout ranger demain. » Je réfléchis un moment. « Des escargots dans leurs lits ? suggérai-je d'un air engageant.

— Ça serait cruel, dit tante Sarah, pauvres escargots ; ils étoufferaient. Non, sérieusement, Kate, pas de blagues. Promis ?

— Bon, d'accord, dis-je. Mais je voudrais... » Je me tus brusquement car il me semblait entendre des bruits étranges : cris de terreur, pas précipités et rires stridents. Mais quand je regardai dans l'allée, je n'y vis personne.

Le lundi, nous allâmes chez Mme Drummond pour ouvrir en grand les fenêtres poussiéreuses à l'air de l'été, balayer et nettoyer et frotter jusqu'à ce que tout soit brillant. Dans l'une des chambres d'amis, sous une housse, nous trouvâmes le patchwork aux animaux. Il rayonnait au soleil, comme un vitrail.

Nous nous penchâmes pour mieux voir.

« Voilà un bout de la robe que je portais au mariage de Clare, dit tante Sarah le doigt tendu, et là, c'est celle que j'avais faite pour la fête de ton école, tu te souviens ?

— Oui. Et ça, c'est la verte que j'avais chez les Johnson, quand Timmy m'a embrassée derrière la porte. Sentimental, ce pauvre mec !

— Oui. Et je me rappelle celui-là... et ça... Oh ! Kate, nos vies sont tissées dans ce patchwork. Elle avait mis de côté tous les restes et les morceaux que je lui avais donnés au fil des années, et elle en a fait cette merveille, digne d'un musée. » Elle me regarda, et dut lire un espoir sur mon visage car elle hocha la tête et dit d'un air compatissant :

« Non, je doute qu'il te revienne à présent. Elles disent que la vieille dame n'a pas laissé de testament. »

J'étais amèrement déçue.

« Elle voulait qu'il soit à moi ! dis-je. Je ne pourrais pas le prendre, tout simplement ? »

Tante Sarah eut l'air choquée. « Ça ne serait pas bien, dit-elle, en passant légèrement la main sur le patchwork. J'aurais bien voulu que tu l'aies mais, à moins qu'elle n'en ait parlé dans une lettre, vraiment je ne vois pas ces filles-là faire un cadeau de quoi que ce soit. Pas elles ! Elles ne lâcheraient pas un sac de chips vide ! »

Là, elle les avait mal jugées. Elles arrivèrent le mercredi, balayant l'allée dans une grosse voiture étincelante, d'où elles émergèrent comme trois ours gras dans leurs manteaux de fourrure. Il faisait chaud ce jour-là et elles avaient dû étouffer. C'est cela sans doute qui leur mettait le rouge au visage, et non mon regard hostile. J'avais promis à tante Sarah de n'être pas insolente et je ne le serais pas. Je ne dirais pas un mot. Mais, me rappelant la pauvre vieille Mme Drummond, je ne pouvais me résoudre à sourire.

Elles nous prièrent de les aider à porter les valises dans la maison. Il y en avait une quantité étonnante, et toutes étaient très lourdes.

« Resterez-vous plus d'une nuit ? » demanda tante Sarah déconcertée, mais on lui répondit qu'elles partiraient le lendemain pour rejoindre une de leurs amies ; et c'est pourquoi il y avait tant de bagages.

« Cette chère Lady Bridlington, dit l'une, nous jetant le titre aux yeux comme le diamant d'une bague, son bridge lui manque tellement quand elle est à la campagne. Elle nous supplie toujours de venir. Nous sentions qu'il fallait avoir pitié d'elle. »

Pitié ? me dis-je, que sais-tu de la pitié, vieille garce !

« Ne pouvez-vous pas laisser quelques-unes des valises dans la voiture ? » demandai-je car j'avais les bras douloureux. J'eus droit à un regard glacial de la plus grosse, une femme énorme qui avait assez de mentons pour les trois. Elle s'appelait Mabel Platt.

« Nous avons avec nous beaucoup d'objets de valeur, me dit-elle, je serai plus tranquille s'ils sont dans la maison. Tu as l'air d'une fille solide. Ça ne doit pas être un problème pour toi de porter quelques bagages ? »

Sentant sur moi le regard de tante Sarah, je me tus.

Quand la dernière valise fut dans l'entrée, les trois femmes jetèrent autour d'elles un regard critique. Si elles remarquèrent combien la maison était nette et étincelante, elles n'en dirent rien ; c'était tout naturel. Elles ne nous offrirent pas de thé.

« Merci madame, euh, Perkins. Il ne faut pas que nous vous fassions perdre votre temps, dit Mme Platt à tante Sarah comme si elle congédiait une servante. Oh ! à propos, y a-t-il une petite chose que vous aimeriez avoir en souvenir de notre mère ? »

Je jetai à tante Sarah un coup d'œil rapide, et suppliant.

« Eh bien, dit-elle gênée, je n'ai rien à demander pour moi. Mais il y a un couvre-pieds en patchwork dans l'une des chambres... »

La femme haussa les sourcils : « Ah ! les fameux patchworks de Mère, fit-elle avec un petit rire déplaisant. Non, je regrette, je n'avais pas pensé à quelque chose d'aussi... Enfin, pour être franche, de cette importance...

— Elle avait dit qu'elle me le laisserait dans son testament », m'écriai-je.

Trois paires d'yeux froids se tournèrent vers moi.

« Ma mère n'a pas fait de testament, dit Mme Platt, et, je le regrette, mais il ne faut pas s'attendre à ce que nous donnions ses affaires sur la foi de simples on-dit. Après tout, n'importe qui peut prétendre...

— Mais elle a dit qu'elle voulait me le donner ! Elle l'a dit !

— Mère était toujours si ridiculement généreuse, dit Mme Platt. Je crains qu'elle n'ait souvent promis et puis tout oublié.

— Elle recevait n'importe qui, dit une autre fille.

— Je suis sûre qu'elle entendait bien nous le laisser, dit la troisième. Après tout, nous sommes ses... » Elle s'arrêta.

Quelque part dans la maison, un son bizarre se faisait entendre. Aigu, perçant, répétitif, comme une langue d'acier léchant des dents d'acier.

« Qu'est-ce que c'est ? » demanda Mme Platt. Nous écoutions toutes mais le bruit avait cessé et ne se reproduisit plus. « Oh ! eh bien, dit-elle, avec un haussement d'épaules, où étais-je ?

— Pas ici ! criai-je, me rappelant le pâle visage qui guettait à travers les vitres sales, jour après jour, espérant en vain. Pas quand elle avait besoin de vous ! »

Tante Sarah m'entraîna hors de la maison.

« Maintenant, plus un mot, Kate, ou je dirai quelque chose qu'il ne faudrait pas... De toutes les... J'aurais voulu... Bon, ne t'en fais pas. Je suis bien contente que tu aies dit ça. Il fallait que ça sorte, elles l'ont voulu. Je ne remettrais pas les pieds dans cette maison, même si elles me suppliaient à genoux. Je leur casserais plutôt la figure ! »

Mais nous devions y retourner, pourtant. Le lendemain, il y eut à la porte une série de coups furieux. Mme Platt était là, le visage couvert de taches rouges et son triple menton tremblant de rage.

« Suivez-moi ! Venez instantanément. J'ai quelque chose à vous montrer », dit-elle, et elle fonça au bout du chemin sans même regarder si nous suivions. Tante Sarah, ahurie, ouvrait de grands yeux, puis elle me regarda.

« Que se passe-t-il ? demanda-t-elle.

— Allons voir. »

Tante Sarah hésitait, mais elle était aussi curieuse que moi. « On peut y aller ; j'ai oublié de leur rendre la clef, hier, elles en auront besoin », dit-elle comme pour s'excuser.

Nous suivîmes donc la grosse femme dans la maison voisine. Il y avait partout des valises ouvertes sur le plancher. Les deux autres filles étaient à genoux devant, tenant ce qui semblait des filets de soie, mouvants et chatoyants à la lumière.

« Regardez ! Regardez ce qu'elle a fait de nos robes... » dirent-elles, et les larmes qu'elles n'avaient pas versées pour leur mère coulaient maintenant de leurs yeux.

Les robes étaient perdues. Dans cette précieuse matière, on avait découpé de petits carrés et des hexagones, des losanges et des triangles. Tout ce qui restait, c'était un réseau de fils brillants auquel tenaient encore quelques boutons, comme des araignées dans leur toile.

« Qui diable a fait cela ? Pourquoi ? » s'exclama tante Sarah dans une naïve stupeur.

Leurs regards se tournèrent vers moi. Leurs doigts tendus me désignaient.

« Elle ! Elle l'a fait par dépit, parce que nous lui refusions ce patchwork. »

Je restai là, le rouge aux joues, incapable d'articuler un mot. Et je le savais : j'offrais sans doute l'image même de la culpabilité.

« Qui d'autre l'aurait fait ? s'obstinèrent-elles quand tante Sarah protesta. A moins que vous ne l'ayez fait vous-même ? Personne d'autre n'avait la clef.

— Non ! dis-je, désespérée, ce n'est pas moi ! Ce n'est pas moi ! »

Je lisais l'incrédulité sur leurs visages. Même tante Sarah me regardait, les yeux pleins d'une interrogation inquiète.

« Je n'ai rien fait ! Je n'ai pas fait cela ! » répétai-je, en essayant de ne pas pleurer.

Alors il revint, l'étrange bruit métallique, froid, rapide, inhumain, comme des paires de menottes qui bavarderaient entre elles. J'eus peur. Je crus que la police attendait à la porte.

« Ce n'est pas moi ! » hurlai-je.

Les autres ne semblaient pas avoir remarqué le bruit.

« Mes robes ! Mes plus belles robes ! se lamentait la cadette. Qu'est-ce que je vais mettre au bal de la chasse ? Et à la soirée de Lady Bardolph ?

— Tu me paieras ça », dit la seconde, me foudroyant du regard.

Puis elles entendirent. Toutes, elles entendirent. Un son strident, un claquement, un souffle. Un clic, un souffle, un clic, un souffle, un clic, un souffle, un clic, comme des dents de métal mâchant des barreaux de fer.

Nous nous retournâmes et nous les vîmes. Tels des vautours d'argent, un vol de ciseaux s'engouffra par la porte ouverte, des grands, des petits, des droits, des courbes, tous le bec cruel en avant. Les vis qui unissaient leurs lames étincelaient comme des yeux en colère.

Ils se précipitaient, virant et tourbillonnant, avec leur étrange cri discordant. Puis, soudain, ils s'abattirent sur les trois grosses filles terrorisées. En hurlant, elles levèrent les bras pour protéger leur visage des redoutables becs. Je les regardais avec horreur, m'attendant à voir jaillir le sang de cette chair dodue, si dorlotée. Mais les ciseaux visaient d'autres proies. Tandis que les femmes couraient çà et là, couinant comme des gorets, de petits carrés de soie étaient découpés dans les robes mêmes qu'elles portaient, et tombaient en voletant sur le tapis, tels les pétales d'un buisson de roses en été.

Les trois filles se ruèrent en criant hors de la maison. Nous les suivions des yeux. Elles descendaient l'allée en courant, et toujours les ciseaux becquetaient et tailladaient leurs vêtements, éparpillant la soie brillante en confettis dans le vent. Elles couraient sur le chemin, ces trois dames grasses, roses et dévêtues, aussi nues bientôt que le jour de

Un vol de ciseaux s'engouffra...

leur naissance. Alors les ciseaux-oiseaux s'élancèrent dans le ciel, entonnant un chant de victoire qui rendait un son clair comme l'argent. Enfin, ils disparurent.

« Ça alors ! » dit tante Sarah, en me regardant avec stupéfaction. Puis, serrées l'une contre l'autre, nous fûmes prises de fou rire et les éclats de notre gaieté suivaient les femmes hurlantes qui couraient sur le chemin.

Mme Rogers, qui habite la maison du coin, eut pitié des filles de Mme Drummond.

« Je les ai trouvées dans mon jardin, drapées dans des toges comme les Romains au théâtre, nous raconta-t-elle plus tard, ce matin-là. "Mais c'est ma meilleure nappe que vous avez là ! dis-je, (est-ce que je ne l'avais pas brodée de mes propres mains ?) et voilà les draps de fil de Grand-mère !" Elles s'étaient servies, sans se gêner, sur ma corde à linge. Pourtant je ne pouvais m'empêcher de rire. "Et que faisiez-vous, à courir toutes nues dans le jardin d'une personne convenable, j'aimerais le savoir ?" dis-je. Eh bien, vous ne croirez jamais ce qu'elles m'ont raconté.

— Non, dit tante Sarah en m'adressant un sourire complice, personne sans doute ne le croirait, même l'ayant vu de ses propres yeux.

— Elles avaient bu, si vous voulez mon avis, et il n'était pas dix heures et demie du matin ! De Londres, elles sont, et on sait tous ce qu'elles viennent chercher par ici... Bon, pour finir, elles m'ont demandé de charger leur voiture et de la

Je les ai trouvées..., drapées dans des toges...

ramener. Enfin les voilà parties ! Quant à savoir si elles étaient en état de conduire, c'est autre chose. Il faut que je ferme la porte à clef, à côté. "Ne plus jamais revoir cette maison !" disaient-elles, du diable si je sais pourquoi.

— Je vous donnerai la clef, dit tante Sarah.

— Merci. Ah ! oui, elles ont dit que la jeune Kate pouvait prendre le couvre-pieds en patchwork qu'elle voulait. Je devais vous dire que leur mère avait écrit, l'an dernier, qu'il était pour elle. Elles ont dit que vous saviez lequel c'était. »

Je regardai tante Sarah, qui me sourit.

« Oui, prends-le, Kate, c'est ce que voulait la vieille dame. Personne ne peut plus en douter à présent. »

Folle de joie, je courus le chercher.

Nous n'avons jamais revu les filles de Mme Drummond. Quelqu'un vint débarrasser la maison puis elle fut mise en vente.

La veille du jour où je devais rentrer chez moi, nous étions dans la cuisine pour le petit déjeuner quand on entendit frapper doucement à la porte. On ouvrit : il n'y avait personne. Baissant les yeux, nous vîmes un grand paquet enveloppé de papier brun, posé sur le seuil.

Nous le rapportâmes dans la maison et l'ouvrîmes.

C'était un patchwork, mais un que nous n'avions jamais vu. Éclatant, lumineux, il était fait non de coton, mais de soie, de satin et de velours. Il provenait des luxueuses robes des trois grosses filles tapageuses. Nous n'en croyions pas nos yeux.

« Eh bien, Kate, dit enfin tante Sarah, le caressant avec ravissement de ses doigts usés au travail, c'est une merveille !

— Maintenant nous avons chacune le nôtre, dis-je. Je préfère le mien.

— Et moi le mien, répondit tante Sarah. Chaque fois que je le verrai, j'aurai envie de rire. Et rien ne vaut un bon rire pour vous garder jeune ! »

3

Les étranges compagnons

Je les vis pour la première fois au bord de la mer, à Brighton. Il n'y avait pas grand monde car c'était un après-midi gris, avec un vent coupant qui venait du large. Les deux hommes étaient debout, face à face, et semblaient discuter en agitant les bras, les poings serrés. Deux hommes dont les cheveux s'envolaient d'un côté comme un fanion noir. Deux hommes au même long visage, le nez mince et les sourcils froncés, chacun portant un manteau de tweed brun et un pantalon foncé. Même leurs chaussures étaient semblables, bicolores, marron et blanc.

J'avais déjà vu des jumeaux identiques mais seulement des enfants, qu'on roulait dans des poussettes à deux places. C'étaient les premiers adultes que je rencontrais et je me rappelle ma surprise qu'ils aient gardé l'habitude de s'habiller pareil. Ils n'avaient pas l'air de ces joyeux farceurs qui prennent plaisir à dérouter les amis. Leur visage reflétait la détresse comme s'ils trouvaient le monde un séjour bien amer.

Je ralentis en passant auprès d'eux, essayant de discerner, de l'un à l'autre, quelque différence. Je ne craignais pas qu'ils s'en aperçoivent, tant ils semblaient absorbés. Mais soudain, ils se tournèrent vers moi, ensemble, et l'un demanda :

« Quel jour sommes-nous, jeune homme ?

— Quel jour ? répétai-je, surpris par le ton pressant de la voix. Eh bien, nous sommes le 3.

— Le 3 ? Le 3 de quoi ?

— De mars.

— Et l'année ? »

Comment pouvait-on oublier l'année ? Le jour et le mois peut-être, s'ils étaient distraits, mais l'année ! Est-ce qu'il se moquait de moi ? Je jetai un coup d'œil à son jumeau mais lui aussi me regardait avec la même expression angoissée. Pas l'ombre d'un sourire entre ces deux-là.

« On est en 1983, dis-je posément.

— Le 3 mars 1983 », dit-il en se retournant vers son frère. Il y avait dans sa voix une sorte de triomphe sinistre — comme quelqu'un qui n'aurait marqué un point que pour s'y embrocher. J'allais continuer mon chemin et les laisser là, ces deux idiots de jumeaux qui ne savaient même pas en quelle année ils étaient ; mais ils se tournèrent de nouveau vers moi.

Les deux hommes étaient debout, face à face...

« Encore un mot, jeune homme, dit celui qui venait de parler. Avez-vous l'heure ?

— Il y a une horloge là-haut, dis-je en la montrant du doigt.

— Oui. Elle marque quatre heures moins dix. Mais est-ce bien ça ? »

Comme j'ai été bien élevé, je regardai ma montre et j'acquiesçai.

« Il est quatre heures moins dix, le 3 mars 1983 », dis-je patiemment. Et même sans ironie.

« Sept ans ! Sept longues années et cinq minutes en plus ! » Il jeta à son jumeau un regard furieux que l'autre lui rendit. Sur ces longues figures jaunâtres, il y eut le même air désemparé. « Pourquoi n'es-tu pas parti ? Tu devais t'en aller ! Ce n'est pas bien ! J'ai attendu ce jour, cette heure, cette minute... Sept ans, j'ai attendu. Et cinq minutes en plus ! Pourquoi es-tu encore là ? Va-t'en au diable ! Laisse-moi tranquille ! »

Je jetai vivement un coup d'œil de l'un à l'autre et je lus sur leur visage une haine excédée.

C'était évidemment une querelle de famille. Une affaire privée. Je pouvais difficilement rester là, à bayer aux corneilles, mes oreilles rouges de froid au vent. Je l'ai dit, on m'a bien élevé. Alors je m'en allai, avec l'intention de risquer plus tard un regard en arrière pour voir s'ils allaient se battre.

Je n'étais pas loin quand j'entendis des pas pressés derrière moi, et me retournant, je vis avec surprise que l'un d'eux — ne me demandez pas lequel — m'avait rattrapé.

« Je crois que je vais devenir fou ! » dit-il.

Erreur de conjugaison. Il *était* déjà fou, me dis-je. Pas de futur là-dedans.

« Qu'y a-t-il ? » fis-je à haute voix, tout en cherchant des yeux s'il y avait quelqu'un sur le front de mer. Il était désert mais des voitures passaient sur la route et le long de la plage, juste au-dessous de nous, une femme marchait sur les galets avec un petit chien noir.

« Il devait partir, dit l'homme. Ce n'est pas bien. » Je regardai derrière et vis le jumeau s'éloigner sur la froide promenade vide.

« Il s'en va, dis-je. Le voilà parti maintenant. »

L'homme regarda par-dessus son épaule et, au même moment, son jumeau en fit autant. Ils se dévisagèrent furieusement, puis tous deux détournèrent les yeux.

Nous marchions en silence. La nuit tombait à présent. Déjà les lumières s'allumaient, écheveaux brillants à travers le ciel sombre. J'entendais aboyer le petit chien et les vagues se briser sur les galets.

« Le voilà », dit l'homme.

Je me retournai et c'est à peine si j'aperçus la silhouette de l'autre qui s'éloignait dans le crépuscule.

« Non, il s'en va toujours. Il sera bientôt hors de vue.

— Regardez devant vous », dit-il.

Et je vis : quelqu'un venait au-devant de nous. Un homme portant un manteau de tweed brun et un pantalon foncé. Même à cette distance, je distinguais ses chaussures bicolores, marron et blanc. Ses cheveux noirs s'envolaient d'un côté dans le vent.

« Mais... » Je me retournai, stupéfait, et il y avait toujours l'autre qui s'éloignait, avec son manteau brun et son pantalon foncé... « Vous êtes trois ! m'écriai-je. Des triplés !

— Non, dit l'homme d'un air sombre. Vous ne comprenez pas. »

Je le regardai du coin de l'œil et j'en conclus que je n'avais pas envie de rester seul avec lui sur ce front de mer, dans le froid et la nuit tombante, avec ses doubles comme compagnie.

« Ben... euh... bonsoir, dis-je. Il faut que je parte.

— Ne me quittez pas, jeune homme, restez avec moi. Je ne veux pas être seul.

— Je suis désolé, mais je dois retrouver quelqu'un...

— Je vous en prie, dit-il en saisissant mon poignet d'une main sèche, une main de fer. Je vous en prie, ne partez pas. J'ai besoin... Je voudrais vous raconter mon histoire.

— Vous me faites mal, dis-je avec colère, car la bonne éducation a ses limites. Si vous ne me lâchez pas, je crie ! Il y a un agent de l'autre côté de la route, dans cette entrée... » (C'était plausible en tout cas ; pour ce qu'on pouvait voir de là !)

Il me lâcha immédiatement et s'excusa.

« Pardon, jeune homme, je ne voulais pas vous effrayer. Excusez-moi. »

J'acquiesçai froidement et me hâtai vers la route. Il me suivit. Je n'étais plus inquiet maintenant car les voitures passaient à portée de la main et je voyais des gens sur le trottoir d'en face. Je me tournai vers lui pour lui dire de me laisser. Mais à la vue de son visage, les mots se figèrent sur mes lèvres : je n'avais jamais vu quelqu'un de si malheureux.

« J'aurais aussi bien fait de me noyer et d'en finir avec tout ça », dit-il.

Il était là, les mains abandonnées le long du corps, le visage aussi froid et gris que le ciel. Derrière lui, l'un de ses frères — s'ils l'étaient — nous tournait le dos, regardant vers la mer. L'autre, je ne le voyais plus.

« S'ils vous ennuient, dis-je, pourquoi n'appelez-vous pas la police ? »

Il fit un geste d'impuissance et ne répondit pas.

« Ils vous menacent ? » demandai-je, pensant à une rivalité de gangs ; il y avait déjà eu des histoires comme ça à Brighton.

Il secoua la tête. « Vous ne comprenez pas.

— Qui est-ce ? Ce sont vos frères ?

— Non. Il y a... Je peux vous raconter ? Vous accompagner un moment ? Vous ne risquez rien. Je voudrais seulement parler à quelqu'un. »

Pourquoi moi ? Pourquoi ne pas choisir quelqu'un de son âge ?

« Mon père est médecin, dis-je. Il pourrait peut-être vous aider.

— Il ne me croirait pas. Il me prendrait pour un fou. » Il me regarda et j'essayai de le considérer avec sympathie et non comme si, moi aussi, je le croyais fou. J'étais malheureux pour lui. « J'ai été un garçon comme vous, dit-il, avec ces yeux clairs et ces joues roses. Tout aussi innocent. Je vous envie. Croyez-moi, je vous envie. »

Il n'y avait rien à répondre à ça. Que savait-il de moi ? J'avais mes problèmes moi aussi.

« J'ai fait de mauvaises rencontres », dit-il.

Nous avions traversé la route à présent et nous remontions Preston Street. Des gens nous dépassaient, voûtés dans leurs manteaux, leurs écharpes flottant comme des oriflammes. Un vieux journal s'enroula autour de ma jambe, puis il fut emporté plus loin et s'étala sur la chaussée. Nous tournâmes dans une petite rue pour nous mettre à l'abri du vent.

« Je n'étais pas vraiment mauvais, dit-il. Pas mauvais. On ne pouvait pas dire que j'étais mauvais. »

Je me sentis à nouveau mal à l'aise. La rue étroite était déserte, nous étions seuls tous deux. Je songeais à revenir en arrière.

« J'étais seulement stupide. Toujours les mêmes trucs. Le jeu, la boisson... C'est si facile de se laisser entraîner, on croit toujours qu'on pourra revenir en arrière. »

« On le peut », pensai-je et je m'arrêtai, prêt à dire que j'avais oublié une course pour ma mère dans Preston Street. Mais alors je remarquai quelqu'un, à l'autre bout de la rue, qui venait dans notre direction. Soulagé, je repartis.

« J'ai perdu mon travail, mon argent, mes amis,

dit l'homme. Mes vrais amis, je veux dire. J'avais un tas de copains, ça oui, toute la canaille de la ville me faisait fête dans le ruisseau. Il y fait chaud et vous y trouvez une foule de gens prêts à vous démolir. Seulement ça pue, jeune homme, ça pue comme l'enfer. »

Son visage se convulsait. Je pensai presque qu'il allait pleurer. Gêné, je regardai au loin, pour n'être pas surpris à le dévisager. La silhouette qui approchait était là maintenant, je la voyais clairement. C'était un homme aux cheveux sombres et décoiffés, portant un manteau de tweed brun et un pantalon foncé. Ses chaussures étaient bicolores, marron et blanc.

Effrayé, je me retournai et regardai en arrière. A l'autre bout de la rue, un homme nous tournait le dos, vêtu d'un manteau de tweed brun, d'un pantalon foncé et de chaussures bicolores...

« Il ne vous fera pas de mal, dit mon compagnon, n'ayez pas peur. Tenez, voilà un café, allons boire un thé. » Il me prit le bras et me poussa dans un petit café infect. Je m'assis à l'une des tables couvertes de formica, tandis qu'il allait chercher le thé. Il y avait un jeune couple en face, et dans le coin un gros homme qui avait l'air d'un chauffeur de poids lourd ; un costaud rassurant. Je regardai dans la rue par la fenêtre mais je ne vis personne.

« Qui est-ce ? demandai-je, comme mon compagnon revenait à notre table avec le thé. Qui sont ces hommes ?

— J'allais vous le dire, j'y arrivais justement. Où en étais-je ?

— Vous aviez mal tourné.

— Oui », dit-il et il soupira. Il s'assit, ses mains sèches autour de sa tasse et la vapeur lui noyant le menton ; sans boire, le regard fixe devant lui.

« Que faisiez-vous exactement ? demandai-je, curieux.

— Ne vous occupez pas de ça, mon garçon, fit-il vivement. Ce sont des choses que vous feriez mieux d'ignorer.

— Mais je croyais que vous vouliez me dire...

— Pas ça. » Il posa sa tasse et redressa les épaules. « Seulement ce qui est arrivé ce jour-là. Le 3 mars. Je suis sûr que c'était le 3. J'emmenais Clara déjeuner. Nous étions fiancés — on était fiancés depuis des années. C'était une chic fille. Pas comme les autres ; mais un peu triste. Ou c'est ce que je pensais à ce moment-là. Ce n'est pas que je voulais rompre ; j'avais toujours l'intention de me marier à la fin. L'épouser et me fixer. Nous devions nous retrouver au Palace à une heure. Elle se faisait du souci à cause de moi, de ce que je faisais. Elle voulait me sauver de moi-même. Je savais qu'elle allait m'entreprendre pour fixer la date du mariage. Mais je ne voulais pas encore... C'est difficile à expliquer. Alors j'avais bu un verre pour me donner du courage. Et puis un autre... »

Il s'arrêta et but une gorgée de thé.

« Qu'est-ce qui s'est passé ? Vous avez oublié d'y aller ?

— Non, j'y suis bien allé. J'ai débarqué dans le restaurant avec une demi-heure de retard et une

... Un homme aux cheveux sombres et décoiffés...

gerbe de roses rouges que j'ai flanquée dans la soupe de quelqu'un ! C'était du potage à la tomate, je me souviens, et elle a éclaboussé toute la nappe comme du sang.

— Vous l'aviez fait exprès ?

— Non, pas du tout ! Il y avait toutes ces petites tables. Trop près les unes des autres. Des quantités de petites tables, et il fallait se faufiler dans tout ça... J'étais ivre, naturellement.

— Alors, qu'est-ce qui est arrivé ?

— Clara a rompu nos fiançailles. Elle m'a jeté la bague... Oh ! je m'en moquais à ce moment-là. Une de perdue, dix de retrouvées, je me disais, rentré dans ma chambre une bouteille à la main. Il y avait ce grand miroir sur le mur, qui avait appartenu à ma grand-mère, et à sa grand-mère avant elle. Quand j'étais enfant, elle m'avait dit : "Regarde toujours ce miroir avant de quitter la chambre, Billy, pour voir si tu fais un bon compagnon." Je titubai jusqu'à lui et j'y vis un idiot complètement ivre, chancelant vers moi sur des jambes en caoutchouc, ricanant stupidement et brandissant une bouteille. Voilà ce que j'avais fait de moi-même. Cet ivrogne ! »

Il posa vivement sa tasse sur la soucoupe. Je vis ses mains trembler. Mais il paraissait sobre à présent.

« Alors, vous avez décidé d'arrêter ?

— Pas encore, non. J'étais soûl et je me marrais. Je dansais devant mon reflet, agitant ma bouteille en disant : "Viens, mon bel ami, es-tu bon compagnon ? Tu es le seul ami qui me reste. Rien que toi et moi, et nos bouteilles.” Ainsi mon reflet ricanait et gambadait avec moi... Brusquement, je n’aimai plus du tout ce visage — mon visage. Alors, je lui lançai la bouteille à la tête. Et le miroir éclata. »

Il s’arrêta et me regarda fixement, avec un air de frayeur rétrospective.

« Est-ce que votre grand-mère s’est fâchée? demandai-je.

— Ma grand-mère? Non, oh non! Elle était morte depuis longtemps. C’était le miroir! Le miroir brisé...

— Sept ans! m’écriai-je. Sept ans de malheur!

— Sept ans et — il jeta un coup d’œil à sa montre — vingt minutes de plus. Pourquoi est-il encore là, à traîner? » Ses yeux me foudroyaient comme si c’était ma faute.

« Qui?

— Mon reflet. »

Il y eut une longue pause; nous nous regardions en silence. Puis nous nous tournâmes ensemble vers la fenêtre. A travers la vitre, un visage, le sien, nous observait; mais cette fois, un autre était auprès de lui: le mien.

« Il fait noir dehors, dis-je. Ce n’est qu’un reflet.

— Mais vous l’avez vu, non? Sur le front de mer? Dans la rue?

— J’ai vu deux hommes.

— C’est lui. Le miroir s’est brisé, le verre est tombé en miettes mais il est toujours là, lui. Devant moi, derrière, à côté. Partout où je pose les yeux. Vous l’avez vu, enfin? Vous l’avez vu! »

Il tremblait, entre la certitude et l’incrédulité.

« J'ai vu quelqu'un, dis-je, hésitant. Des hommes... »

Il sourit tristement. « Vous pensez que je suis fou, n'est-ce pas ? Bon, ne vous inquiétez pas, mon garçon, je le suis peut-être. »

Il paya nos thés et nous quittâmes ensemble le café. Comme nous descendions la rue, j'aperçus la silhouette — jumeau ? reflet ? — qui se dirigeait vers nous. Ils s'arrêtèrent et se regardèrent sans un mot. Face à face. Et leur sombre chevelure se gonflait en avant au-dessus de leurs yeux, comme si deux vents avaient soufflé, à l'un et l'autre bout de la rue. Ils se fixaient d'un air las, et ne me virent pas partir.

La semaine suivante, il y avait un fait divers dans le journal local : un homme qu'on avait retrouvé noyé. Un certain William Smith, de Kemp Town. William. Billy... J'étais sûr que c'était mon homme au reflet. Il avait noyé ses chagrins dans la mer froide et grise. Pourquoi n'étais-je pas resté avec lui, ne l'avais-je pas ramené à la maison ? N'importe quoi, plutôt que de le laisser seul avec ses lugubres *réflexions* ! J'aurais voulu n'être pas parti.

Aussi, quel fut mon soulagement, le lendemain, en le voyant venir à moi, portant toujours son manteau de tweed, son pantalon foncé et ses chaussures bicolores. Il regardait autour de lui, comme s'il cherchait quelqu'un. J'en fis autant, attentivement, mais il n'y avait personne en vue.

Je courus à lui, souriant. « Alors ? il est enfin parti ? lui dis-je. Vous aviez dû vous tromper de date, ou d'heure. Il était peut-être plus tard ce jour-là que vous ne pensiez. »

Il me jeta un regard rapide, puis se détourna comme si je n'étais pas vraiment ce qu'il avait désiré voir. Et j'aimais mieux qu'il regarde ailleurs car ses yeux m'avaient fait peur. Ils étaient sombres et désolés comme si des vents glacés avaient soufflé dans sa tête. Sa peau semblait de cire et son nez mince pointait, plus aigu encore que je ne me le rappelais. Il avait l'air terrible...

« Qu'y a-t-il ? demandai-je enfin. Ça ne va pas ? »

Il ouvrit la bouche et ses lèvres remuèrent mais il n'en sortit aucun son.

« Vous êtes malade, dis-je, vous vous sentez mal ? Mon père est médecin, il pourra vous aider... Venez avec moi, c'est juste au coin de la rue. »

Mais il restait là, regardant de tous côtés. On aurait dit un chien qui a perdu son maître. Un enfant abandonné.

Je pris sa main dans la mienne... Elle était froide comme du verre. Une main de verre, oui, et lisse et fragile. Je sentis que si je la serrais, elle volerait en éclats sous mes doigts. Je l'observai, mais il avait l'air si perdu et si misérable que je n'avais rien à craindre de ce pauvre être, quel qu'il fût.

« Qui êtes-vous ? » demandai-je, et mon souffle s'éleva comme une fumée dans l'air glacé. Son visage avait disparu. Au-dessus du col, il n'y avait plus qu'un flou grisâtre, comme si j'avais soufflé sur un miroir. Je tenais toujours sa main de verre dans la mienne.

« Ce n'est plus la peine de le chercher, dis-je doucement, je crois qu'il est mort. »

Il y eut un bruit de verre mince qui se brise, et plus personne... Tout ce qui restait de lui, c'était un scintillement de minuscules éclats, sur ma main et jonchant le sol à mes pieds.

4

Le chant de la sirène

1er août 1981.

Cher magnétophone,

C'est moi, je m'appelle Roger et j'ai neuf ans aujourd'hui. Tu es mon cadeau d'anniversaire.

Bon anniversaire pour moi
bon anniversaire à toi
bon anniversaire, chers nous deux !...

1er août 1982.

R comme Roger — R comme Roger. 5 4 3 2 1 C'est Roger qui parle. Je ne vais pas t'ennuyer avec un compte rendu bouchée par bouchée de mon goûter d'anniversaire, comme l'an dernier. Cette fois, j'enregistre seulement les moments excitants de ma vie.

Terminé.

1er août 1983.

Mon nom est Roger Kent. J'ai onze ans, je veux noter ça pour le cas où il m'arriverait quelque chose.

Je déteste ce village. Je voudrais que nous ne soyons jamais venus vivre ici. Il y a un mystère.

D'abord, il n'y a aucun autre enfant. Sauf Billy Watson mais il est bizarre ; maigre, pâle, et il sursaute dès qu'on lui adresse la parole. Maman dit qu'il a été malade et que je dois être gentil. Je l'ai été ; je lui ai demandé de venir aujourd'hui à mon goûter d'anniversaire. Il a fait un bond comme si je l'avais poignardé dans le dos, et ses yeux se sont mis à bouger dans tous les sens comme des cafards. Puis il a bafouillé quelque chose et il est parti en courant.

Les adultes sont aussi étranges : vieux, avec des poches sous les yeux comme s'ils avaient pleuré toute la nuit. Quand ils me voient, aussitôt ils se taisent. Ils m'épient ; c'est un peu effrayant.

Au début, je pensais qu'ils ne m'aimaient pas, mais ce n'est pas ça. Ils ont l'air de savoir que quelque chose d'horrible va m'arriver, et d'en être malheureux pour moi.

La pire, c'est Mme Mason. Je ne peux pas supporter sa façon de me regarder. Ses yeux sont... je ne sais pas... comme affamés. Je ne veux pas dire qu'elle est cannibale. C'est plutôt comme... Tu sais quand les gerbilles mangent leurs petits, quelquefois? Parce qu'elles ont peur qu'ils soient en danger ; elles les croient plus en sécurité à l'intérieur...

C'est exactement comme ça que je vois

Mme Mason. Comme si elle voulait m'avaler pour me mettre à l'abri. Mais de quoi ?

Ce matin, quand elle a su que c'était mon anniversaire, elle m'a serré dans ses bras. Je l'ai envoyée promener. Je ne voulais pas être grossier mais j'avais vraiment cru qu'elle allait me grignoter l'oreille. Voilà où j'en suis.

« Ne sors jamais le soir, dit-elle. (Ça, ce n'est rien ; Maman me dit tout le temps la même chose. Mais c'est la suite.) Ne sors jamais le soir, *quoi que tu entendes !* »

J'ai beau y penser et y repenser, je n'arrive pas à comprendre ce qu'elle veut dire. Si nous étions au bord de la mer, on pourrait imaginer des contrebandiers. Tu sais, comme dans le poème : « Tourne-toi vers le mur, ma chérie, lorsque passent ces messieurs... »

Elles sont peut-être sorcières ? Je ne suis pas fou : il y a des sorcières de nos jours. Une fois, c'était dans les journaux : « Un sabbat de sorciers découvert ! » Sûr qu'ils étaient découverts ; c'était la photo d'hommes et de femmes sans rien sur eux. On ne voyait pas grand-chose, seulement leur dos. Ils n'avaient l'air ni frénétiques ni excitants ; plutôt minables et gelés ; on aurait presque vu leur chair de poule. Pourtant, c'étaient des sorciers.

Tu crois que c'est ça ?

Ce soir, pleine lune. Je vais rester éveillé pour écouter. Il doit se passer quelque chose assez près pour que je l'entende, sinon elle n'aurait pas dit ça.

Et s'ils se servaient de notre jardin ?

Imagine que Maman aille avec eux? Elle avait l'air un peu bizarre ces temps-ci. Non, c'est idiot.

10 h 30 du soir. Je suis assis près de la fenêtre. Rien n'est encore arrivé, seulement les bruits habituels la nuit, et peu nombreux. Ce village est mort après 10 heures. Un chien aboie. Une chouette me tape sur les nerfs, elle ne pourrait pas dire autre chose, cette idiote?

C'est barbant. Je crois que je vais me coucher un moment.

0. 00. J'ai un réveil digital, et c'est ce qu'il dit. Comme si le Temps avait pondu des œufs l'un à côté de l'autre. Pas de temps. Point zéro, temps zéro. Ne compte pas tes minutes avant qu'elles soient écloses.

Qu'est-ce que c'est?

Rien qu'une chouette. La fenêtre est grande ouverte et il fait froid. La lune est ronde et brillante. Tout le jardin est plein d'ombres, je ne vois rien. C'est très calme à présent. Pas de vent.

Écoute! J'entends des enfants qui rient. Et leurs voix qui appellent doucement...

Je crois qu'ils sont dans le jardin de Billy Watson; ça doit être une soirée de minuit et il ne m'en a pas parlé! Le cochon! Pas étonnant qu'il se soit sauvé quand je l'ai invité à goûter.

Je voudrais bien les voir mais il y a trop d'arbres, trop d'ombres.

Écoute!

Le micro est trop petit. Je le tenais à l'extérieur de la fenêtre, mais il n'a rien capté.

Ils chantaient. Leurs voix étaient hautes et claires. Je pouvais entendre chaque mot ; c'était une drôle de petite chanson, plutôt triste mais belle. Il y avait un refrain où ils ululaient tout doucement, comme des bébés chouettes. Je crois que je me rappelle les paroles.

« Petit fantôme vêtu de blanc
se promène dans la nuit d'été,
elle appelle son ami d'enfance
et lui demande de venir jouer.
Mais il sent ses cheveux se dresser sur sa tête.
Billy Watson part en courant. »

Billy Watson ! Alors, c'étaient ses amis ! Un jeu, sans doute.

Écoute...

C'était une fille, qui chantait seule, cette fois. Je suis sûr que c'était une fille. Sa voix était si haute et douce, et triste. Elle me faisait mal. Voilà ce qu'elle chantait :

« M'aimes-tu toujours ?
Comme avant je suis jolie.
(Houou hou)
Bien que mes roses soient évanouies
le blanc des lis est aussi doux.
Les étoiles brillent à travers moi,
non sur le corps, qui n'est que chair. »

J'aurais tant voulu la voir...

Hello ! Je suis là !

Ils m'ont entendu, je le sais. Ils chuchotent. Ils se rapprochent à présent, les buissons frémissent contre notre mur. Regarde ! En voilà un qui se glisse dans le jardin. C'est difficile d'être sûr... Il y a tellement d'ombre. Je vais laisser pendre le micro en dehors de la fenêtre...

Écoute !

« Billy, vois comme la lune est brillante.
Ne veux-tu pas jouer avec moi ?
(Houou hou)
Il est couché, Billy Watson,
les doigts dans les oreilles,
la tête sous ses couvertures.
Son visage est baigné de pleurs. »

Je l'ai eu cette fois ! Très faible mais on peut distinguer les mots. Je ne crois pas que ce soient des amis de Billy, finalement. Ils avaient plutôt l'air de se moquer de lui. Je me demande qui c'est ?

Oh ! ils s'en vont maintenant ! Je les entends courir à travers les buissons, en riant. Ils sont partis !

Non. Il y en a encore un dans l'ombre du lilas, juste sous ma fenêtre. Je suis sûr que c'est la fille, je vois luire sa robe blanche... A moins que ça ne soit le clair de lune. Elle est toute seule à présent, elle m'attend.

Écoute !

J'arrive ! Attends-moi...

« Petit fantôme en robe blanche
chante tristement dans la nuit.
(Houou hou)
Qui donc viendra jouer avec moi ?
Faut-il rester seule toujours ?
N'est-il pas un enfant au lit
qui ose devenir mon ami ! »

J'arrive ! Attends-moi. Je sais bien que j'ai promis à Maman de ne jamais sortir la nuit, mais... La lune brille, claire comme le jour. Quelqu'un chante en bas, dans le jardin. Doucement, tendrement. Ce n'est pas grave, sûrement, si je ne sors qu'une fois ?

Le reste de la bande est muet. On n'a jamais revu Roger Kent.

5

Changement de tantes

Tout le monde sait que l'étang du bois de Teppit est hanté. Une jeune nurse, un jour, s'y est noyée. Cela s'est passé tôt dans la soirée, tandis que le soleil sombrait dans le ciel rouge et que la fumée de la maison incendiée flottait entre les arbres.

On dit qu'elle s'était échappée pour rencontrer son amoureux, laissant seuls deux jeunes enfants, avec le feu qui flambait dans la nursery derrière l'écran de la cheminée. Ils avaient été réduits en cendres, les pauvres petits, et la jeune fille, folle de remords et de chagrin, s'était suicidée.

Mais elle ne pouvait trouver le repos, disait la légende, et, au coucher du soleil, on voit flotter la fumée à travers les arbres, bien que cent ans aient passé depuis l'incendie de la grande maison. Alors, si vous êtes prudents, courez ! Car c'est alors que son malheureux esprit égaré se lève, tout ruisselant, du sombre étang et part à la recherche des enfants morts. Elle fouille les bois sans relâche pour retrouver les petits... Prenez garde qu'elle ne vous attrape !

Meg Thompson, qui avait onze ans, se jugeait sans doute trop grande pour croire aux fantômes. Son frère William y croyait mais il n'avait que huit ans. Tante Janet aussi, semblait-il, ou peut-être le disait-elle seulement pour tenir compagnie à William et lui éviter d'avoir honte.

Même en plein jour, tante Janet les tenait par la main et les faisait courir jusqu'après l'étang, en chantant une incantation magique :

« Dame du petit lac,
n'approche pas, par pitié !
Quand le soleil est haut, souviens-toi
de nous laisser aller en paix. »

Et ils couraient tout en haut de la colline, à travers les arbres, jusqu'au retour à la maison en riant, essoufflés et saufs.

Ils aimaient tante Janet qui s'occupait d'eux depuis la mort de leur mère. Malheureusement, le frère d'un voisin, venu d'Australie en visite, l'aima lui aussi, l'épousa et l'emmena à Adélaïde.

C'est alors que tante Gertrude arriva. Elle était aussi différente de tante Janet qu'un faucon d'une tourterelle. Maigre, anguleuse et dure, elle semblait porter ses os par-dessus sa peau et ses yeux étaient montés sur tiges. Elle voyait les ongles noirs au fond des poches, les chats en contrebande sous les couvertures, à l'heure du coucher, et les tasses cassées à travers deux épaisseurs de journaux et un couvercle de poubelle.

« Je connais toutes vos astuces », leur disait-elle avec un sourire comme un élastique tendu.

Elle ne souriait que quand leur père était dans la pièce. Il y avait ainsi beaucoup de choses qu'elle ne faisait qu'en sa présence, par exemple les appeler ses chéris, leur donner des biscuits pour goûter et les laisser regarder la télévision. De même, elle n'en faisait beaucoup d'autres qu'en son absence, comme de les nourrir de pain rassis et de margarine, de les gifler, de les boxer et de les enfermer à clef dans la cave pour les punir.

Ils se moquaient bien d'être bouclés dans la cave. Ils jouaient aux soldats avec les bouteilles ou au cricket avec un morceau de charbon et un bout de bois, ou s'asseyaient sur des caisses vides pour combiner des vengeances contre tante Gertrude.

« Je prendrai un fusil et je la tuerai, disait William. Je la découperai en petits morceaux avec le couteau à découper et je la ferai manger aux goujons.

— Mais tu iras en prison, objectait Meg. J'écrirai une lettre à la Protection de l'Enfance, je leur raconterai tout et c'est *elle* qu'ils mettront en prison.

— Ils ne te croiront pas, dit William, pas plus que Papa. »

Meg ne disait rien.

« Pourquoi est-ce que Papa ne nous croit pas ? demanda William.

— Parce qu'elle est toujours plus gentille avec nous quand il est là. Parce qu'elle ne nous frappe pas assez fort pour laisser des traces. Parce qu'elle lui dit que nous sommes des menteurs. » Meg hésita, puis elle ajouta lentement : « Et parce qu'il n'a pas *envie* de nous croire.

— Pourquoi ?

— C'est notre dernière tante. Si elle partait, il ne saurait pas quoi faire de nous. Il serait peut-être obligé de nous envoyer ailleurs, et ça pourrait être pire. »

William semblait incrédule, mais avant qu'il ait pu dire quoi que ce soit, on entendit une porte se fermer en haut de l'escalier.

« Elle revient ! Prends l'air triste, William », chuchota Meg. Tante Gertrude ne devait pas s'apercevoir qu'il leur était indifférent d'être enfermés à la cave. Elle aurait imaginé un autre châtiment, un qui fasse mal.

« Meg, murmura William avec inquiétude, tu ne lui as rien dit à propos de l'étang hanté, dis ? »

Meg secoua la tête.

« Elle m'y emmènerait, je sais qu'elle le ferait. Au coucher du soleil, ajouta-t-il, les yeux agrandis par la peur. Au coucher du soleil, quand c'est le plus dangereux.

— Je ne la laisserais pas faire », dit Meg.

En septembre, leur père dut aller en Allemagne pendant un mois pour ses affaires. Ils pleurèrent tous deux quand il les quitta, ce qui mit tante Gertrude en fureur. Pour les punir, elle les envoya au lit sans dîner, fermant leurs chambres à clef de sorte qu'ils ne pouvaient même pas descendre en cachette à la cuisine y voler quelque nourriture.

« Je connais toutes vos astuces », leur dit-elle.

Ils avaient tellement faim le lendemain qu'ils furent presque heureux que ce soit mercredi. Car chaque mercredi, tante Gertrude les emmenait goûter avec une de ses amies qui habitait Eggleston Street, à cinq kilomètres par la route, et sans autobus. Mme Brown était aussi carrée que tante Gertrude était pointue mais, à part ça, elle semblait faite du même matériel. Du granit. Au moins, ils auraient des sandwiches, du gâteau, et pourraient faire la sourde oreille aux insultes que les deux femmes leur décocheraient.

« Le mal que j'ai avec eux ! commença tante Gertrude.

— Je ne sais pas ce que ces enfants vont devenir, c'est sûr », approuva Mme Brown. Et elles continuèrent sur le même ton jusqu'à ce qu'il fût temps de partir.

Le chemin du retour passait par la colline. D'habitude, tante Gertrude avançait à grands pas, criant après les enfants quand ils traînaient en arrière. Ils ne se plaignaient jamais de leurs jambes douloureuses et de leurs ampoules au talon ; ils n'avaient pas envie que tante Gertrude découvre le raccourci à travers le bois de Teppit. Mais, ce mercredi-là, comme ils étaient prêts à partir, elle se plaignit d'être fatiguée.

« Surveiller ces deux-là m'épuise. Il faut que je demande à John de m'acheter une voiture. Le retour est si long jusqu'en haut de la colline...

— La colline d'Eggleston? répéta Mme Brown surprise. Vous ne prenez pas le raccourci par le bois? »

Les enfants se regardèrent effrayés.

« Quel raccourci? demanda tante Gertrude. Je ne savais pas qu'il y en avait un. Personne ne m'a dit... » Ses yeux cherchaient autour d'elle quelqu'un à blâmer, et ils tombèrent sur les enfants: « Vous connaissiez ce raccourci? demanda-t-elle avec irritation.

— Naturellement qu'ils le connaissent. Tout le monde le sait », dit Mme Brown. Elle regarda Meg et William, souriant méchamment. « Ne me dites pas que vous avez peur de passer près de l'étang hanté? Il n'y a que les bébés qui craignent les fantômes! » Le soleil couchant, brillant à travers la fenêtre, inonda son visage comme d'un flot de vin. « Peu importe, dit-elle d'une voix aussi doucereuse que du miel de guêpe, je suis sûre que votre chère tante Gertrude saura vous guérir de ces stupides caprices. »

William saisit la main de Meg.

« Je ne passerai pas par le bois! Je ne veux pas! Vous ne pouvez pas nous faire ça. Pas au coucher du soleil! »

Meg l'entoura de ses bras. Elle entendait alors Mme Brown qui racontait à tante Gertrude l'histoire de la jeune nurse, et tante Gertrude qui ricanait.

« Alors, vous avez peur des fantômes, c'est ça? dit-elle aux enfants quand ils eurent quitté la maison. Vous avez laissé votre pauvre vieille tante faire des kilomètres inutiles à cause d'un stupide conte de nourrice. Votre pauvre tante qui travaille si dur pendant que vous passez vos journées à jouer ! Nous allons voir ça ! »

Elle les attrapa chacun par un poignet, de ses doigts rudes, et les traîna sur le chemin du bois. Les arbres se serraient autour d'eux, telle une foule sombre et chuchotante qui semblait murmurer : « Le soleil se couche... Allez-vous-en, gare à vous... »

William commença à se débattre et à donner des coups de pied. Tante Gertrude lâcha Meg et le frappa si fort qu'il fut projeté hors du sentier. Il tomba dans un énorme tas de feuilles mortes qui s'envolèrent comme des papillons bruns et retombèrent sur lui, tandis qu'il restait là à pleurnicher.

Meg courut le consoler. « Tu auras des bleus, lui dit-elle à voix basse, des gros bleus à montrer à Papa quand il rentrera. »

Il sourit à travers ses larmes.

« Qu'y a-t-il ? Que complotez-vous tous les deux ? demanda vivement tante Gertrude. Plus vous débitez de sottises, plus il vous en reste en réserve ! Alors, est-ce que vous allez vous tenir ? »

Elle était debout au-dessus d'eux, grande, sèche et dure comme un réverbère de fer, avec le soleil couchant qui semblait rougeoyer dans ses yeux méchants.

« Meg, murmura William, les bras autour du cou de sa sœur, je crois que c'est une sorcière. Pas toi ? Meg, est-ce que c'est une sorcière, dis ?

— Non, répondit Meg, avec plus d'assurance qu'elle n'en ressentait elle-même. Allons, il vaut mieux faire comme elle dit. N'aie pas peur, je ne te quitte pas, William. »

Ils s'enfoncèrent ainsi dans les bois murmurants. Leur tante marchait derrière eux, jetant une ombre longue jusqu'à leurs pieds. William serrait étroitement la main de Meg, et aussitôt que le sombre étang fut en vue, ils commencèrent à fredonner entre leurs dents les mots de l'incantation magique :

« Dame du petit lac,
n'approche pas, par pitié !
Souviens-toi, quand le soleil luit...

— Qu'avez-vous encore à chuchoter? demanda tante Gertrude.

— Rien », répondirent-ils.

C'est vrai, elle était inutile, la magie. Cela ne marchait qu'en plein jour, tant que le soleil était haut. Maintenant il était tombé parmi les arbres et le ciel était en feu.

« Regarde ! » souffla William.

Entre les troncs, de pâles traînées de fumée ondulaient et rampaient au-dessus du sol, comme des doigts aveugles à tâtons...

« C'est la fumée, Meg, la fumée ! » cria William.

Tante Gertrude le saisit par l'épaule et le secoua.

« Arrête ce tapage ! Tu te donnes en spectacle ! Ce n'est que la brume qui monte de l'eau. Viens, je vais te montrer. » Elle partit, traînant William vers l'étang. Meg le tenait ferme par l'autre bras et, pendant un moment, elles le tirèrent entre elles comme un pantin. Puis tante Gertrude frappa Meg sur l'oreille et celle-ci lâcha prise pour prendre entre ses mains sa tête qui résonnait.

Tante Gertrude poussa William tout au bord du sombre étang.

« Là ! Regarde bien, il n'y a rien, n'est-ce pas, stupide petit froussard. Réponds, il n'y a rien, n'est-ce pas ? »

Les yeux fixés sur William, tout en lui parlant, elle ne vit pas ce que voyaient les enfants : ce qui sortait de l'étang derrière elle.

C'était une chose sombre et ruisselante, une forme d'herbes et d'eau. De la boue verte collait telle une chair à ses os délavés, et une grenouille était blottie comme un cœur palpitant dans sa cage d'ivoire. Ses yeux fous, argentés comme les écailles des poissons, foudroyèrent tante Gertrude qui battait l'enfant terrifié. Et la « chose » étendit la main...

Tante Gertrude hurla.

William lui échappa et se mit à courir. Aveuglé par la peur, il dépassa Meg sans la voir et disparut sous les arbres.

Meg était incapable de bouger. Recroquevillée sur le sol humide et couvert de feuilles, elle regardait, terrorisée. L'eau noire s'arrachait de l'étang en lambeaux crémeux tandis que les deux silhouettes luttaient, la tante vociférante et l'autre, toute d'eau, d'herbes et d'os. Ses yeux d'argent étincelaient et ses doigts d'ivoire s'agrippaient comme des peignes aux cheveux de tante Gertrude. Plus bas, toujours plus bas, elles s'enfoncèrent dans un bouillonnement de bulles.

« Meg ! Meg ! » La voix de William appelait d'entre les arbres, et Meg, comme délivrée, sauta sur ses pieds et courut vers lui, abandonnant tante Gertrude dans l'étang.

William était tombé, son genou saignait, son visage tuméfié était mouillé.

« Viens, viens vite ! » dit Meg le saisissant par la main et l'entraînant avec elle.

Car quelqu'un les suivait, courant derrière eux entre les arbres, brisant les rameaux, faisant craquer les feuilles sous des pieds invisibles.

« Cours, William, plus vite ! plus vite ! criait Meg.

— Je ne peux pas !

— Il le faut ! Cours, William, cours ! »

Cela se rapprochait maintenant, plus près encore, plus rapide, sautant en bonds énormes par-dessus les branches pourries et les nids blancs de champignons.

« Plus vite ! » cria Meg, regardant craintivement par-dessus son épaule les buissons qui frémissaient, si bien qu'elle ne vit pas la racine tordue où elle se prit le pied. Elle tomba, entraînant William dans sa chute.

Tante Gertrude surgit des buissons.

Comme elle était étrange ! Elle avait couru si vite que ses vêtements avaient séché sur elle et que ses joues étaient roses. Ses cheveux, échappés du chignon serré, retombaient en désordre autour de sa tête.

Les enfants se tapirent loin d'elle quand elle vint s'agenouiller près d'eux.

« Cela va-t-il, mes petits chéris ? demanda-t-elle doucement.(*Chéris ?*) C'était une mauvaise chute ! Mais vous tremblez, mademoiselle Margaret, et

« Là ! Regarde bien, il n'y a rien, stupide petit froussard. »

monsieur William, vous avez écorché votre pauvre genou (*mademoiselle? monsieur?*). Si vous êtes courageux et si vous ne pleurez pas, je vous ramènerai sur mon dos jusqu'à la maison, et il y aura du chocolat chaud avec du gâteau aux cerises devant le feu dans la nursery. »

Ils la regardaient fixement, tout tremblants. Le regard de ses yeux était doux et bon. Le sourire de sa bouche épanoui et tendre. Que mijotait-elle? Quelle comédie cruelle jouait-elle à présent?

Ils restèrent silencieux tandis que tante Gertrude portait William en haut de la colline jusqu'à la maison. Là, comme elle l'avait promis, elle leur donna du chocolat, du gâteau et les installa sur le canapé pendant qu'elle lavait le genou de William.

Quand elle eut fini, elle resta là, debout, fixant le foyer vide de la salle de séjour. Ils la regardaient sans rien dire. Puis elle quitta la pièce. Ils burent leur chocolat chaud à petites gorgées, assis l'un près de l'autre, écoutant. Ils l'entendaient aller de chambre en chambre à travers la maison, comme si elle cherchait quelque chose.

« Qu'est-ce qu'elle fabrique? chuchota William.

— Je ne sais pas.

— Tu l'as vue? Tu l'as vue... dans l'étang?

— Qu'est-ce qui est arrivé, Meg?

— Tante Gertrude est tombée dedans, dit Meg et elle frissonna.

— Pourquoi est-elle... si différente?

— Je ne sais pas.

— Je voudrais que Papa soit rentré », dit William

et sa lèvre trembla. Meg passa son bras autour de lui, et ils se turent de nouveau, écoutant les pas qui tournaient et retournaient dans la maison, lentement, en hésitant comme si tante Gertrude avait perdu son chemin.

Pas de doute : c'était une autre femme depuis qu'elle était tombée dans l'étang. Peut-être l'eau l'avait-elle lavée de sa méchanceté ? La maison n'avait jamais été si vivante et si chaleureuse. Les plats si délicieux. Elle leur préparait des tourtes aux pommes et des gâteaux aux cerises ; et les laissait lécher les jattes. Elle jouait à saute-mouton avec eux dans le jardin et ne craignait pas de courir après les balles de cricket. Elle leur racontait des histoires à l'heure du coucher et les embrassait en leur souhaitant bonne nuit.

William commença à l'appeler tante Trudie, et souvent il la prenait par la main pour lui montrer quelque trésor : un gros escargot à la coquille en forme de toupie, une pierre percée juste en son milieu ou une plume de geai. Meg les suivait silencieusement, observant et écoutant. Un jour — William ne savait pas qu'elle était derrière eux —, elle l'entendit lui dire :

« Tante Trudie, il ne faut pas nous appeler mademoiselle Meg et monsieur William, vous savez.

— Il ne faut pas, monsieur William ?

— Non. Simplement Meg et William.

— William, alors.

— C'est mieux. Et quand Papa vient à la maison

Mais vous tremblez, mademoiselle Margaret et monsieur William...

le samedi, il faut l'appeler John. Vous vous rappellerez ? »

Elle sourit et acquiesça.

« Ne vous en faites pas, dit-il, je vous surveillerai, tante Trudie. » Alors, il aperçut Meg derrière lui et dit vivement : « Nous jouons à quelque chose. Va-t'en, Meg ! Nous n'avons pas besoin de toi !

— Mais mons... Mais William, ce n'est pas une façon de parler à votre sœur, dit gentiment tante Trudie. Bien sûr que nous avons besoin d'elle. » Elle sourit à Meg. « Nous allons voir les chatons d'à côté. Viens avec nous, Meg. »

Meg secoua la tête et retourna à la maison. Elle monta dans la chambre de tante Gertrude et regarda autour d'elle. Elle était nette et gaie, avec des fleurs sur la coiffeuse. On ne sentait nulle part ni l'odeur ni la présence de tante Gertrude. On aurait cru la chambre d'une autre personne. Meg s'assit sur le lit et réfléchit un long moment.

Tante Trudie la trouva là quand elle revint du jardin, le rouge aux joues et riant. Elle hésita en apercevant Meg, puis, parlant par-dessus son épaule : « Une minute, William ! Attends-moi dans le jardin. »

Alors elle ferma la porte et s'y appuya, regardant Meg gravement et avec bonté.

« Resterez-vous longtemps avec nous ? demanda Meg poliment.

— Aussi longtemps que vous voudrez de moi », fut la réponse.

Il y eut un bref silence. Puis Meg sauta sur ses pieds et passa ses bras autour de la jeune femme.

« Nous ne voulons pas que vous partiez, tante Trudie, dit-elle. Nous avons envie de vous garder avec nous pour toujours. »

C'était trois ans avant que Meg ne s'aventure une fois encore dans le bois de Teppit. Elle y alla en plein jour, quand le soleil était haut. La curiosité la poussa à descendre le sentier tortueux jusqu'au sombre étang tout en bas. Il faisait chaud et les oiseaux chantaient dans les arbres. L'étang semblait tranquille. Il y avait des œufs de grenouille dans l'eau brune, des feuilles flottaient à la surface comme de petites îles ; un insecte aquatique traversa, laissant derrière lui un sillage d'argent.

Meg se tenait à distance et attendait.

Des bulles commencèrent à troubler l'eau paisible. Un petit poisson fila se cacher sous les herbes. Maintenant, une écume de boue et d'ordures montait lentement du fond de l'étang. Elle s'étendit autour d'un amas d'œufs de grenouille, qui frémit et sembla se disperser, puis se reforma en un visage hideux et menaçant.

Meg, qui l'observait, crut entendre, faiblement, une voix familière.

« Meg ! Sors-moi de là ! Tout de suite ! Elle m'a volé mon corps, cette misérable servante ! Meg, si tu l'amènes ici, je te donnerai un penny. Tu auras des biscuits au chocolat tous les jours. Et du rôti !

Amène-la seulement ici et pousse-la ! Meg, je ne te frapperai plus jamais, je le jure, jure, jure...

— Adieu, tante Gertrude », dit Meg d'un ton ferme. Et elle s'en alla. Et plus jamais elle ne vint dans les bois, autour de l'étang de Teppit.

6

Le bel enfant

« Ne prends jamais de raccourci à la nuit tombée, répétait la mère d'Anthony. Rentre par les grandes routes ; téléphone si tu es en retard et je viendrai à ta rencontre. »

Elle s'inquiétait pour lui beaucoup plus que pour sa sœur. Peut-être parce que Nellie avait trois ans de plus et qu'elle savait se débrouiller seule. Ou bien parce qu'elle était grosse et laide. Lui, au contraire, était si beau : quiconque le voyait devait avoir envie de le lui voler.

Anthony ne pouvait ignorer qu'il était beau. Depuis sa petite enfance, les compliments voletaient autour de ses oreilles comme des papillons. « Oh ! quel adorable bébé, quel beau petit gars, quel amour ! » Un jour, il avait quatre ans, une grosse dame s'était jetée sur lui en criant : « Oh ! mon chou, je te mangerais ! » Et il avait hurlé, blotti contre sa mère, en voyant avancer vers lui cette grande bouche fardée de rouge sang. Sa mère avait ri : c'était une façon de parler, avait-elle expliqué, les gens disaient ça sans y penser. Mais longtemps après, il avait fait des cauchemars et s'éveillait la nuit en criant.

Maintenant, il avait dix ans et personne ne le trouvait plus « mignon », mais on disait qu'il était beau. A son école, toutes les filles gloussaient et crânaient devant lui. Elles l'invitaient à leurs anniversaires, le choisissaient pour danser et l'embrassaient sous le gui les soirs de Noël. Souvent, le mur de l'école se couvrait de cœurs à la craie avec des inscriptions : « Stella aime Tony » ou « Claire aime Tony » et, une fois même, méchamment : « Tony aime Tony ».

Mais il n'était pas vaniteux ! Il se savait moins intelligent que Nellie, moins bon aux jeux que son cousin John. Sans aucun talent particulier. Seulement voilà : chaque fois que sa mère lui recommandait de ne pas traverser le bois de la Reine à la nuit tombée ou de ne pas accepter de cadeaux des inconnus, il ne pouvait s'empêcher de se sentir un délicieux bonbon que tout le monde aurait envie de croquer.

Aussi était-il un peu nerveux

quand, un soir, désobéissant à sa mère, il prit le raccourci par l'allée de l'Oiseau. De chaque côté, les courts de tennis étaient déserts car on était en novembre et, dès cinq heures, il faisait nuit. Les lampadaires étaient masqués de branches, dont les rameaux dénudés formaient un puzzle sur le sol de ciment, comme si le monde tombait en morceaux.

Il voyait son ombre s'allonger et rétrécir à mesure qu'il avançait. On aurait dit qu'elle voulait lui échapper, le sachant menacé d'une chose terrible et craignant d'y être entraînée. Il regrettait à présent de n'avoir pas pris le chemin le plus long.

Car des pas venaient derrière lui, sonnant clair dans l'air froid, se pressant quand il accélérait, courant s'il courait, cognant à sa suite tandis qu'il se hâtait vers son refuge.

Mais la rue était vide quand il arriva : tout le monde était à table. Il fuit le long du trottoir et les pas battaient derrière lui, plus fort que son cœur. Ils le suivirent à la maison, au bout de l'allée jusqu'à la porte de la cuisine. Il n'osa pas regarder autour de lui, redoutant ce qu'il pourrait voir.

Enfin, dans la cuisine chaude et claire, il claqua la porte après lui.

« Maman ! appela-t-il, Maman, où es-tu ? »

Et il entendit la porte de la cuisine claquer de nouveau comme si le... la créature était entrée aussi. Il se retourna en tremblant, mais il n'y avait personne.

« Eh bien, chéri, tu es en retard, dit la mère venant à lui. Qu'y a-t-il ? Tu es blanc comme un linge ! Que s'est-il passé ?

— Rien », dit-il. Il ne voulait pas reconnaître qu'il avait pris le raccourci. Cette nuit-là, il rêva encore de vampire et s'éveilla en criant.

C'était la première fois qu'il entendait des pas. Ensuite, il les entendit toujours. Partout. Dans les couloirs de l'école, sur le chemin de la maison, avec ses amis, ils étaient derrière lui, ralentissant quand il ralentissait, accélérant s'il se hâtait. Par-dessus le bruit de la circulation et des conversations, il les entendait sur ses talons.

« Qu'est-ce que tu cherches tout le temps comme ça ? lui demandaient ses camarades.

— Rien », disait-il.

Car personne ne semblait lui accorder une attention particulière. Pas de personnage sinistre s'esquivant dans une entrée, pas de visage inquiétant entrevu dans l'ombre. Pourtant, les pas le suivaient toujours.

Alors un soir, Tom Harlow, son meilleur ami, lui dit : « Quel raffut font tes chaussures ! On dirait un cheval de charretier. Et tu as même un écho.

— *Un écho* ?

— Tu ne l'entends pas ? Écoute... Tiens, arrête-toi. Repars maintenant. Tu vois ?

— Un écho ! » s'écria Anthony et il hurla de rire et de soulagement. C'étaient seulement ses chaussures, ces horribles gros souliers que sa mère lui faisait porter l'hiver. Il avait fui devant ses propres pieds !

Tout aurait dû aller très bien maintenant qu'il savait. Mais l'écho, pourtant, lui tapait sur les nerfs.

Il ne pouvait se défaire de l'impression que quelqu'un — ou quelque chose — le suivait. Il se remit à porter ses baskets, cachant les souliers d'hiver dans la remise du jardin quand il sortait, pour que sa mère ne le sache pas.

Les pas le suivaient encore, crissant doucement sur le sol mouillé ou bruissant dans les feuilles mortes. S'arrêtant quand il s'arrêtait, courant quand il courait. Et s'il regardait alentour, il ne voyait jamais personne.

« Ce sont peut-être mes oreilles, se dit-il. Je les lave trop souvent, sans doute, et j'ai usé une espèce de filtre... »

Il cessa de se laver les oreilles. Mais toujours, à travers la crasse et la cire, il entendait les pas se presser derrière lui. Même dans sa propre maison, ils le suivaient. Dans la salle de séjour, dans la salle de bain, dans sa chambre, ils étaient là, chuchotant sur les tapis épais. Il se demanda s'il ne devenait pas fou.

Et puis un jour, à l'école, le professeur de dessin regarda par-dessus son épaule et demanda : « Qu'est-ce que tu dessines, Anthony ?

— Un cheval.

— Val...val... » L'écho suivit comme si Anthony lui-même avait répété le mot. Il regarda M. Watson, horrifié, mais le professeur n'avait rien trouvé à redire, sauf au dessin du cheval.

« Non, ce n'est pas comme ça, dit-il, corrigeant quelques traits et ajoutant une quatrième jambe. Là, c'est mieux, n'est-ce pas ?

— Oui monsieur.

— Sieur...sieur... »

Cette fois, M. Watson le regarda d'un air surpris mais il se contenta de lever les sourcils et s'en alla plus loin.

Désormais, Anthony n'osait plus ouvrir la bouche. Mais comment passer un jour à l'école sans parler ? La leçon suivante, c'était l'explication de texte. Le professeur écrivit au tableau : « Les jonquilles frémissent dans le vent de mars. »

« Alors, Anthony, peux-tu me dire quel est le verbe ? »

Anthony restait silencieux.

« Allons, nous avons vu les verbes hier. As-tu déjà oublié ?

— Frémissent...

— Miss...miss... »

Les autres enfants riaient et M. Field jeta à Anthony un regard perçant. Mais voyant sa pâleur et ses yeux affolés, il dit gentiment, supposant que le garçon avait bégayé : « C'est bien, assieds-toi. A toi, maintenant, James. »

« Qu'est-ce que c'était que toutes ces miss qui

frémissent? demanda Tom tandis qu'Anthony et lui rentraient chez eux.

— Rien.

— Hein...hein. »

Tom rit, croyant à un gag. Et ce fut le départ d'une nouvelle manie. Tous les camarades d'Anthony se mirent à répéter la dernière syllabe : « Tu pues, hue ! hue ! criaient-ils. Rends-moi mon stylo, lo-lo ! Qui a mes souliers, yé yé ? »

Au milieu de tous ces échos, Anthony se sentait en sûreté, il passait inaperçu. Mais, naturellement, cela ne pouvait pas durer. On en eut bientôt assez. Les parents protestaient ; les professeurs aussi.

« Assez ! rugit M. Field. Le premier que j'entends répéter comme un demeuré aura affaire à moi ! C'est le dernier avertissement. »

La classe était calme. On respectait les fureurs de M. Field.

« Bien, dit-il. Alors, où en étions-nous ? Ah ! oui, William Blake. Tout à fait ce qu'il nous faut. Puisque les répétitions vous intéressent, voyons comment il les utilise. Page cinq, s'il vous plaît. "Tigre, tigre..." Anthony, lis-nous cela, s'il te plaît. »

C'était un ordre, pas une question. Anthony le regarda fixement, désemparé. Pourquoi l'avoir choisi ?

« Allons, mon garçon, qu'est-ce qu'il y a ? As-tu trouvé la page ? »

Anthony fit un signe de tête et avala nerveusement sa salive.

« Alors, vite, on t'attend. »

S'il avait été malin, il aurait trouvé une excuse :

un malaise, une quinte de toux, une crise de larmes. Mais la peur lui vidait la tête. Hypnotisé par le regard de M. Field et le silence plein de suspense, il récita :

« Tigre, tigre, brûlant éclair...

— Lère...lère... »

On le renvoya chez lui.

Cette nuit-là, il se retourna et s'agita dans son lit. Il avait mal à la tête, les pensées tournaient dans son crâne comme du linge dans une machine à laver, tout emmêlé et brûlant. Que faire ? Il n'osait en parler à personne... On le croirait fou. Peut-être l'était-il ? Que faire ?

Le lendemain matin, quand sa mère vint l'éveiller, il avait le visage cramoisi et la gorge si enflammée qu'il pouvait à peine parler. Elle prit sa température et lui dit de rester au lit.

« Tu as un gros rhume. » Il fit un signe de tête, heureusement, et toussa. L'écho ne put faire que tousser aussi et cela fit deux fois plus de bruit. Il aurait voulu être enrhumé pour toujours.

Le troisième jour, quand il eut fini le puzzle et mangé tout le raisin, il commença à s'ennuyer. Il ouvrit un livre que son père lui avait donné. *Les Mythes grecs*... Il bâilla. Ils étaient allés en Grèce pendant les vacances l'été dernier. Des plages super. Trop de temples, de statues et de trucs comme ça. Il allait fermer le livre quand le mot « Écho » lui sauta aux yeux. Il se mit à lire.

« Écho était une nymphe qui ne pouvait plus se servir de sa voix que pour répéter stupidement les paroles des autres, en punition de ses bavardages.

Elle tomba amoureuse de Narcisse, un adolescent si beau que, depuis son enfance, son chemin était semé de cœurs brisés. »

Des cœurs à la craie sur un mur d'école... Anthony jeta un coup d'œil gêné sur le miroir en face du lit. Son reflet lui rendit son regard : pâle, les yeux grands ouverts et ...beau. Il revint à son livre et continua.

« Elle le suivait partout mais ne pouvait lui dire son amour, incapable d'autre chose que de répéter ses mots à lui. Un jour, Narcisse vint au bord d'un ruisseau : de l'argent poli par le soleil d'or. Il s'agenouilla pour boire et, voyant son propre reflet dans l'eau, il en devint amoureux... »

Les mots se brouillèrent. Anthony était revenu en Grèce. Une journée brûlante. Toute la matinée, on l'avait traîné partout pour voir des temples et des statues. Il avait vu avec plaisir arriver l'heure du pique-nique. On s'était assis à l'ombre des arbres, au bord d'un petit étang argenté. Maman, Papa et Nellie avaient bavassé tant et plus sur ce qu'ils avaient vu et lu sur le même sujet. Ils étaient tous si sérieux, si intelligents. Sauf lui ! Il avait soupiré et s'était consolé en souriant à son image dans l'eau cristalline.

Est-ce *alors* que tout avait commencé ? Cette horrible nymphe l'avait-elle vu ? L'avait-elle pris pour Narcisse dans son esprit confus, et suivi jusqu'à la maison ? Elle ne l'avait peut-être pas lâché depuis les vacances, sans qu'il s'en aperçoive. Du moins jusqu'au soir où il avait pris le raccourci, avec ses chaussures d'hiver...

« Je ne suis pas Narcisse, dit-il à la chambre vide.

— Cisse...cisse, répondit Écho.

— Je suis Anthony Belaime.

— Aime...aime », reprit Écho tendrement.

Il frissonna et regarda encore une fois son livre. Pas de consolation de ce côté-là : à la fin, Narcisse s'était poignardé et avait été changé en cette fleur qui porte son nom. Alors Écho s'était lamentée : « Hélas... hélas... »

Il referma sèchement le livre, regarda de nouveau le titre : Mythes ? Qu'est-ce que c'est que ça ? De vieilles légendes, voilà tout. Rien d'une histoire réelle.

« Ce n'est pas *vrai* ! dit-il à haute voix.

— Hé ! fit Écho, incrédule. Hé ? »

Couché dans son lit, le drap relevé jusqu'à son nez, il jura qu'il ne dirait plus jamais un mot.

Au bout de dix jours de mutisme, Anthony fut mené chez le docteur, qui braqua une lampe électrique au fond de sa gorge, dans ses oreilles et en haut de son nez.

« Il ne semble y avoir aucune anomalie, dit-il.

— Mais, docteur, il a perdu la voix. Il ne peut pas parler. »

Le docteur consulta longuement ses notes. Puis il se redressa brusquement et dit : « Eh bien, qu'avez-vous à nous dire, quant à vous, jeune homme ? »

Mais Anthony n'était pas si facile à prendre. Il fit une moue silencieuse et montra sa gorge. Le docteur haussa les épaules et donna à sa mère une lettre pour l'hôpital.

A l'hôpital, un autre médecin l'examina. Une lampe électrique fut braquée dans sa gorge, dans ses oreilles et en haut de son nez. Une languette de bois, comme un bâton d'esquimau, fut appliquée à l'arrière de sa langue, tel un bâillon. On fit un prélèvement dans sa gorge.

Le médecin semblait perplexe. « A-t-il subi un choc? demanda-t-il. Un problème à l'école? Quelque chose comme ça? »

Anthony et sa mère secouèrent tous deux la tête. Au bout d'un moment, durant lequel le docteur examinait Anthony d'un regard pénétrant, il leur remit une ordonnance, prescrivant un gargarisme et un fortifiant, et déclara qu'il n'y avait pas lieu de s'inquiéter. Rien qu'une gorge paresseuse. « Revenez dans un mois si ça ne va pas mieux. »

Dans le couloir de l'hôpital, Anthony entendit les pas trottant impatiemment derrière lui, mais sa mère n'avait rien remarqué.

Il n'était pas question de retourner à l'école car les vacances de Noël étaient commencées. Son oncle Bill téléphona et leur offrit un cottage pour une semaine.

« Ça tombe à pic, dit son père en l'apprenant. Tout ce bon air aura vite fait de remettre Anthony sur pied. Couvre-le bien et il ne risque rien. Cela te plairait, n'est-ce pas, Anthony? Nous pourrions retourner à la vallée de l'Écho. Rappelle-toi comme tu t'amusais à crier à tous les échos quand tu étais petit? »

Anthony le regardait avec horreur.

« Il était trop petit, dit sa mère. Je ne pense pas qu'il puisse s'en souvenir. »

Mais il se souvenait maintenant. Un petit lac entre des collines. Lui enfant qui appelait et l'écho qui répondait, répondait, clamant son nom à travers le ciel.

« Qu'y a-t-il, Anthony ? Tu ne te sens pas bien ? »

Il secoua la tête.

« La journée a été fatigante, il vaut mieux le mettre au lit. »

Anthony resta longtemps éveillé, à regarder fixement le plafond. Faudrait-il vraiment rester muet toute sa vie ? Sans pouvoir acclamer son équipe au match de football. Ni courir en criant par les rues gelées. Ni échanger des blagues avec les copains. Déjà, ils se lassaient du monologue et venaient moins souvent le voir. Bientôt, il n'aurait plus d'amis du tout. Ce n'était pas juste ! Il n'avait pas demandé à naître beau ! Il n'avait pas cherché l'amour d'Écho. Ce qu'il voulait, c'est qu'elle s'en aille.

Ses yeux se remplirent de larmes. La seule chose à faire était peut-être de se poignarder, comme ce pauvre vieux Narcisse. Et de se changer en une fleur idiote, qu'on flanquerait dans un vase pour que les gens viennent la respirer...

« Jamais ! hurla-t-il.

— Mais...mais... » geignit Écho.

Sa mère passa la tête à la porte. « Tu as appelé ? » demanda-t-elle, pleine d'espoir. Il secoua la tête en

Il descendit la pente en courant...

montrant sa gorge pour lui rappeler qu'il ne pouvait pas parler.

Ils arrivèrent dans la soirée au cottage d'oncle Bill et, après le dîner, Anthony fit semblant d'être fatigué, si bien qu'on l'envoya se coucher. Avant de s'endormir, il entendit un certain temps leurs voix dans la pièce en dessous. Ils parlaient, ils parlaient...

Le lendemain, c'était dimanche et tout le monde se leva tard. Sauf Anthony. Il fut debout à l'aube et mit ses vêtements les plus chauds. Puis il prit quelque chose dans sa valise et le fourra dans sa poche. Il descendit l'escalier sur la pointe des pieds et se glissa hors de la maison.

Il faisait froid et le jeune garçon marchait vite, en balançant les bras pour se réchauffer. Au-dessus de sa tête, des nuages roses flottaient comme des éponges dans le ciel pour le laver de la nuit. Un oiseau s'envola des buissons devant lui, chantant dans le soleil levant. Il aperçut enfin le petit lac, miroir d'acier poli dans la paume des collines. La vallée de l'Écho.

Il descendit la pente en courant jusqu'au bord du lac. L'eau était froide et grise, à peine troublée par le vent. Il s'accroupit à côté, frissonnant, et fouilla dans sa poche. Maintenant, il se penchait encore vers son reflet et ses mains couvraient son visage. On aurait cru qu'il pleurait.

« Écho ! appela-t-il doucement sans se retourner.

— Écho ! Écho ! répéta-t-elle.

— Tu viens ?

— Viens, viens ! » fit-elle joyeusement et il crut entendre les herbes bruire derrière lui.

Alors il se retourna : il était effroyable. Son visage gonflé, tacheté de verrues vertes, sa bouche rouge de sang. Deux crocs jaunes se recourbaient vers son menton.

« Oh ! mon chou, je vais vous manger ! » hurla-t-il.

Écho cria. Ah-aah ! Les sons déchirants allèrent mourir dans les collines. Ils s'affaiblirent peu à peu, puis ce fut le silence.

Anthony enleva son masque de Dracula et se leva.

« Écho ? » appela-t-il doucement.

Silence.

« Es-tu là ? »

Pas de réponse.

« *Es-tu là ?* » cria-t-il de toutes ses forces.

Mais elle ne lui parla jamais plus.

7

La chuchoteuse

Les deux petites filles marchaient en silence sur la route d'Appleford. Elles ne se donnaient pas le bras, ni ne riaient ; elles ne se regardaient même pas. L'une avait l'air malheureux, presque effrayé, l'autre fâché, simplement. Personne ne les aurait prises pour des amies intimes.

Celle qui était fâchée parla la première. C'était une enfant vigoureuse, couverte de taches de rousseur, vêtue avec une recherche inhabituelle d'une robe de coton et de chaussettes blanches. Ses cheveux étaient brossés et ses ongles propres.

« Si ça t'ennuie tellement de m'avoir à goûter, Charlotte, dit-elle, n'y pensons plus.

— Ne sois pas bête, Jane, dit l'autre avec un sourire forcé. Si je n'avais pas voulu que tu viennes, je ne t'aurais pas invitée.

— Tu ne l'as pas fait, fit remarquer Jane, il a fallu que je le demande moi-même, souviens-toi. »

Ça lui restait sur le cœur. Elles avaient été les meilleures amies pendant des mois et Jane avait eu Charlotte à goûter des centaines de fois. Jamais elle n'avait été invitée à son tour. Sa mère avait fini par en faire la remarque.

« Eh bien, Charlotte, c'est encore toi? avait-elle dit et, s'adressant à Jane quand elles furent seules: Cette petite n'a pas de maison où recevoir?

— Elle habite route d'Appleford, avait répondu Jane, espérant décourager sa mère car c'était un quartier chic.

— Et tu ne crois pas qu'ils pourraient t'avoir à goûter, pour changer? » avait répliqué la mère.

Jane était une fille insouciante et généreuse; elle n'avait jamais songé à s'étonner que Charlotte ne l'invite pas. Mais à présent, un léger doute, comme un peu de sable dans une chaussure, commença à taquiner son esprit. Charlotte, secrètement, aurait-elle honte de son amie? La garderait-elle seulement en attendant de trouver quelqu'un de plus distingué et qui lui conviendrait davantage pour sortir avec elle?

« Non! Charlotte n'est pas comme ça, se dit-elle. Il doit y avoir une autre raison. » Décidant d'en avoir le cœur net, elle s'invita elle-même à goûter.

Ainsi elle était enfin là, marchant auprès de son amie réticente (si « amie » était le mot qui convenait) pour se rendre de mauvaise grâce à un thé où elle n'était pas désirée et où elle n'avait plus envie d'aller.

« C'est là », dit brusquement Charlotte. Elle s'était arrêtée devant une porte de jardin peinte en vert au milieu d'un grand mur. Levant les yeux, Jane vit, derrière, le toit et les cheminées d'une maison qui paraissait sombre sur le ciel. Une maison cachée. Une demeure recluse, secrète, tout à fait différente de ses orgueilleuses voisines.

« Qu'est-ce que je viens faire ici ? » se demanda-t-elle, soudain mal à l'aise.

A sa surprise, Charlotte n'ouvrit pas la porte de jardin mais sonna — il y avait une cloche à côté sur le mur — puis elle attendit.

« Vous fermez toujours à clef ? demanda Jane.

— Oui.

— Pourquoi ? »

Charlotte haussa les épaules et ne répondit pas.

La porte s'ouvrit. Quoi que Jane ait imaginé, ce n'était sûrement pas ce qu'elle vit : un jardin éclatant de fleurs, une foule de gens, tous riant et parlant, les mains tendues, l'accueillant avec toutes les apparences de la joie.

« Voici enfin la petite amie de Charlotte !

— Nous avons tellement entendu parler de vous !

— Entrez, entrez, entrez, ma chérie.

— Nous avions hâte de vous connaître. »

Elle fut enlacée, embrassée, présentée à la ronde. Mais finalement, ils n'étaient que quatre : la mère de Charlotte, son père et deux oncles. On ne sait comment, ils s'étaient arrangés pour remplir le jardin de tant de bruit et de gaieté que Jane cherchait autour d'elle si quelqu'un lui avait échappé.

Il en fut de même quand ils s'assirent pour le thé. D'immenses miroirs sur chaque mur reflétaient la table servie. Les théières d'argent étincelaient partout où tombait son regard, les assiettes de gâteaux, les plats de gelées émeraude et pourpre se multipliaient en reflets infinis, et la famille rieuse et bavarde devenait multitude.

« Un, deux, trois, quatre, comptait Jane en silence. Avec Charlotte et moi, cela fait six. Les autres ne sont que dans les miroirs. Pourquoi ai-je toujours l'impression qu'il y a quelqu'un d'autre ? Peut-être un chien sous la table ?... »

Elle jeta un coup d'œil, mais la longue nappe blanche descendait, plus bas que ses genoux, jusque par terre. Elle n'eut pas le loisir de s'interroger davantage avant d'être entraînée dans la conversation. On voulait son avis sur ceci et cela. Des questions souriantes pleuvaient sur elle de tous les côtés, si rapides et si nombreuses qu'elle avait à peine le temps de répondre à l'une avant que vienne la suivante. Ils la flattaient, la taquinaient gentiment, riaient bruyamment quand elle osait une plaisanterie.

« C'est un succès, se disait-elle. Je leur plais. »

Rayonnant de plaisir, elle regarda Charlotte, en face d'elle, et vit aussi son amie bavarder et sourire. Jane ne l'avait jamais vue si loquace. Charlotte avait les yeux brillants et il y avait sur ses joues comme une rougeur fiévreuse.

Fiévreuse ? Pourquoi ce mot lui était-il venu à l'esprit ? Pourquoi ne voulait-il pas disparaître ?

« Vous fermez toujours à clef?... »

Soudain, malgré la pièce étincelante, Jane éprouva un malaise grandissant. Elle regardait autour de la table et il lui semblait maintenant que ces gens étaient aussi irréels que leurs reflets dans les miroirs. Il y avait en eux quelque chose de factice. Pourquoi parlaient-ils tant, et riaient-ils si fort ? On aurait dit qu'ils tissaient un rideau de bruit pour tenir quelque chose à distance.

De nouveau et plus nettement, elle sentit une autre présence. Quelqu'un qu'elle n'avait pas vu. Elle cherchait des yeux mais il n'y avait pas de coins sombres, pas de placards ni de cachettes. Seulement la table et sa nappe hypocrite...

Laissant glisser sa serviette de ses genoux, comme par mégarde, elle se pencha pour la ramasser, espérant soulever le bord de la nappe en même temps. Mais un des oncles la devança et leurs têtes se rencontrèrent avec un bruit mat. Dans le silence qui suivit, Jane entendit un chuchotement pressant, doux et plaintif, une voix d'enfant.

« S'il vous plaît, s'il vous plaît, laissez-moi entrer », disait-elle.

Alors ils se remirent tous à parler, plus fort que jamais, noyant la petite voix. On lui demandait si elle n'avait rien, s'excusant pour l'incident, cherchant des bosses sur sa tête, on lui proposait encore du thé et, sur son refus, on suggérait qu'elle et Charlotte aillent jouer dans le parc...

« C'est un parc ravissant, n'est-ce pas, Charlotte ?

— Il y a des bascules et des balançoires.

— Et des canards, n'oublie pas les canards !

— Et un talus d'herbe pour s'y rouler. Ça vous plaira. »

Ils s'étaient levés tous ensemble. Charlotte prit son bras et la tira vers la porte tandis que les autres se pressaient derrière elles, parlant toujours.

« Ils veulent m'éloigner de la maison », se dit Jane et, brusquement irritée, elle demanda à voix haute : « Ne pourrais-je voir d'abord la chambre de Charlotte ? »

De nouveau, dans le silence fugitif qui suivit sa requête, elle entendit le chuchotement de l'enfant.

« Laissez-moi entrer... Laissez... »

Puis ils parlèrent tous à la fois. Naturellement, il fallait voir la chambre de Charlotte. Tout le monde irait, on s'y réunirait pour jouer à des jeux bruyants. Ce serait amusant, n'est-ce pas ? Et puis on irait tous dans le parc.

Tandis qu'ils se rejoignaient en haut, Jane s'approcha de Charlotte et lui souffla, brutalement, à l'oreille : « Qui est cet enfant ? »

Mais Charlotte ne semblait rien entendre. Elle souriait et parlait, parlait toujours. Ils parlaient tous ensemble comme s'ils n'avaient jamais dû s'arrêter. Le son de leurs voix retentissait dans la tête de Jane, au point qu'elle avait envie de crier : « *Taisez-vous !* »

Que serait-il arrivé ? Un silence glacial ? Aurait-elle entendu encore l'enfant suppliant : « Laissez-moi entrer, s'il vous plaît, ouvrez-moi ! »

Elle aurait voulu avoir ce courage. Mais il lui vint une meilleure idée. Une des portes du palier était entrouverte et l'on apercevait au mur un rouleau de papier de toilette dont l'extrémité flottait doucement dans le courant d'air.

« Excusez-moi », dit-elle et, avant qu'on ait pu l'arrêter, elle s'y précipita et ferma la porte à clef.

Silence. Et le chuchotement, toujours, implorant.

« Ouvrez-moi ! Je promets que je serai sage. Ouvrez-moi, s'il vous plaît ! »

Elle se retourna, troublée, un peu effrayée.

« Où es-tu ? » demanda-t-elle. De l'autre côté de la porte, elle entendait le son étouffé des voix qui parlaient toujours, comme si elles espéraient noyer la petite plainte. Mais la porte était trop épaisse.

« Ouvrez-moi ! Vous ne voulez pas ? » chuchotait un enfant.

Jane abaissa le siège, s'agenouilla dessus et regarda par la fenêtre : en bas, le jardin était vide ; personne n'était perché dans les branches des arbres voisins. Un petit vent, comme un soupir, souffla par la fenêtre ouverte. Elle frissonna.

Et toujours la voix implorait : « Laissez-moi entrer ! Ouvrez-moi ! »

Quand Jane sortit, Charlotte l'attendait sur le palier. Elle était seule. L'animation factice avait quitté son visage. Elle était pâle et semblait lasse.

« Tu sais, maintenant », dit-elle.

Tout près, un enfant chuchotait sans cesse : « Ouvrez-moi ! Ouvrez-moi ! »

« Où est-il ? » demanda Jane avec inquiétude.

Charlotte haussa les épaules. « Dans la maison, au jardin. Pas au-delà des murs, Dieu merci ! Il ne fait rien que chuchoter. Encore et encore et toujours jusqu'à ce qu'on ait envie de hurler. On met la radio à fond, ou la télé : toute la maison tremble et l'on a mal à la tête et pourtant, c'est toujours là. Même dans mon sommeil, je l'entends frapper doucement contre ma tête, demandant à entrer. Je le hais !

— Pourquoi ne pas déménager ? demanda Jane.

— Tu ne comprends pas. Nous ne l'avons pas trouvé ici, nous l'avons amené avec nous. Il est à nous. »

« Ouvrez-moi, laissez-moi entrer, s'il vous plaît, chuchotait l'enfant. Je voudrais jouer avec vous. »

Elles allèrent enfin dans le parc, courant tout le long du chemin pour fuir le son de la radio déchaînée et le chuchotement d'un enfant. C'était calme dans le jardin, il y avait peu de monde, la plupart des enfants étaient déjà rentrés pour le dîner. Une vieille dame portait un pain enveloppé et en jetait des tranches dans le bassin ; les canards les becquetaient sans conviction.

« Ils l'emmenaient toujours donner à manger aux canards, dit Charlotte. On ne peut pas dire qu'ils étaient méchants avec elle.

— Avec qui ?

— La petite sœur de mon père, Mary. Elle serait devenue ma tante si elle avait vécu. Je ne sais pas si on peut être tante quand on est déjà mort. Non ? »

Près de là, des garçons, sur l'herbe, tapaient dans un ballon. Ils avaient entassé des chandails par terre, pour marquer le but, et ils poussaient des exclamations enthousiastes quand le ballon passait haut la main. Comme il avait rebondi en dehors du terrain, une petite fille courut pour l'attraper et le manqua; il lui glissa des mains et la frappa à la joue. Elle se mit à pleurer.

« C'est d'ta faute, dit rudement un garçon plus âgé, pourquoi qu'tu restes pas à la maison comme on t'dit ?

— J'voulais jouer, pleurnicha la petite fille. Je veux jouer avec toi, Mike.

— Ça devait être comme ça, dit Charlotte, observant la petite. Je me demande si elle s'appelle aussi Mary, parce que, alors, ces garçons devraient se méfier.

— Qu'est-ce qui est arrivé ? demanda Jane.

— Rien de plus ! Et c'est bien ce qui est injuste, fit Charlotte avec emportement. Elle était trop petite, voilà tout ! Papa avait huit ans quand elle est née; oncle Peter et oncle Mark étaient plus âgés. Il n'y avait qu'eux trois, avant, tu comprends ?

— Ils ne voulaient pas de petite sœur ?

— Je ne sais pas. Je crois que ça leur était égal, dit Charlotte en haussant les épaules. Papa disait qu'ils l'aimaient bien quand elle était dans sa voiture, ou bordée dans son petit lit, avec son ours. C'est quand elle a marché que les choses se sont gâtées; elle était tout le temps pendue à leurs basques, pour qu'on joue avec elle. »

La petite fille dans le parc était assise par terre, suçant son pouce. Ses yeux suivaient le ballon, pleins d'envie.

« Ils ne s'en occupaient pas ? Je veux dire, jamais ? demanda Jane.

— Si, quelquefois. Ils n'étaient pas méchants avec elle. Mais, que veux-tu? Papa dit que Mary était maladroite; elle tombait tout le temps, se faisait mal, et on les grondait. Elle ne savait pas grimper aux arbres, elle ne jouait pas au cricket. Trois de ses dents avaient sauté d'un coup; Papa dit qu'elle était restée là, à regarder le ballon arriver, sans même avoir l'idée de se baisser. Ce n'était que ses dents de lait mais ça a fait une dispute terrible.

— Ils ont commencé à la prendre en grippe? demanda Jane.

— Non! Ils ne l'ont jamais *détestée.* Seulement, ils auraient préféré ne pas l'avoir tout le temps dans les jambes. Quand ils étaient dans leur chambre, ils fermaient la porte au verrou. Ils l'entendait gémir dehors: "Ouvrez-moi, s'il vous plaît, laissez-moi entrer!" et ils lui criaient de s'en aller. On ne peut pas leur en vouloir. Elle cassait toujours leurs affaires — sans le faire exprès — et ensuite elle était désolée et pleurait.

— Pauvre Mary, dit Jane, se rappelant le triste chuchotement. Elle devait être très seule.

— Ne prends pas sa défense! fit Charlotte vivement. Tu crois qu'elle était désolée? Les larmes ne signifient rien, tu sais. Aurais-tu aimé l'avoir tout le temps sur les talons?» Elle montrait la petite fille devant elles. «Aurais-tu aimé qu'elle te suive partout, se mêlant de tout, cassant tes affaires?»

La petite fille s'était relevée, se grattant la jambe et reniflant, puis elle se mit à courir après le ballon. Un garçon fonça sur elle et la renversa.

« Mike, y m'a fait mal ! Mike ! » geignit-elle mais son frère n'y fit pas attention.

« Elle n'aurait pas dû se mettre en travers », dit Charlotte, et Jane ne sut pas de quelle enfant elle parlait, de la vivante ou de la morte.

« Que s'est-il passé à la fin ? demanda-t-elle.

— Il y a eu une dispute terrible. Mon père avait monté une maquette d'avion, une grande. Il avait passé des semaines dessus et elle était presque finie. C'était une merveille, disait-il ; il en était très fier. Il n'avait pas pu fermer sa porte, la clef était perdue ; mais il avait prévenu Mary qu'elle ne devait jamais, jamais entrer dans la chambre quand il n'y était pas, sinon il lui arriverait quelque chose d'horrible...

— Et elle l'a fait ?

— Oui. Il est rentré de l'école un jour, et l'a trouvée assise par terre, en larmes, avec toutes les pièces cassées autour d'elle. “Je te l'arrangerai, Johnny, dit-elle, l'air effrayé. Je vais le remonter tout ensemble.” Il perdit son sang-froid, on ne peut pas lui en vouloir. N'importe qui en aurait fait autant. Il la poussa hors de la chambre, criant à tue-tête : “Dehors ! Et restes-y ! Ne m'approche plus... aussi longtemps que tu vivras ! Je te déteste !” » Charlotte se tut un moment puis elle répéta obstinément : « On ne peut pas lui en vouloir.

— Non, admit Jane.

— Elle tomba malade cette nuit-là et on la transporta d'urgence à l'hôpital. Il ne l'a jamais revue. Ils disaient qu'elle était trop faible pour recevoir des visites. Et elle est morte. Comme si elle avait disparu... Il n'y était pour rien, mais il pensa que c'était de sa faute. C'est à ce moment-là que le chuchotement a commencé. »

Il était encore tôt quand elles revinrent du parc, six heures et demie seulement. Le chaud soleil du soir brillait sur la porte verte jusqu'à la faire étinceler comme une émeraude.

« Ne pars pas déjà, supplia Charlotte. Reste encore un peu. »

Jane hésitait. L'ambiance de la maison cachée, les voix forcées et les rires frénétiques lui laissaient une impression pénible. Et la petite voix chuchotante... « Pauvre petite fille », pensa-t-elle avec un frisson.

« Les gens ne veulent jamais revenir, dit Charlotte amèrement. Ils sont intrigués, veulent connaître toute l'histoire et puis, tout à coup, ils n'ont plus envie de nous revoir. C'est comme si nous avions la peste.

— Je n'ai pas peur, dit Jane, au mépris de la vérité. Je viens avec toi, je ne suis pas pressée de partir. »

Le visage de Charlotte s'éclaira. Elle ouvrit la porte avec une clef, et dit d'un air malin : « Plus besoin de les prévenir maintenant puisque tu as tout compris. Restons bavarder au jardin. Je vais juste leur dire que nous sommes rentrées. » Et elle courut dans la maison, laissant Jane seule.

Jane allait sans but sur la pelouse, regardant les fleurs sans les voir, l'esprit plein de ce qu'elle avait entendu. Elle marcha sur quelque chose qui roula sous son pied et faillit la déséquilibrer. Baissant les yeux, elle vit que c'était une vieille balle de tennis, presque aussi verte que l'herbe. Elle la ramassa et se mit à la lancer en l'air et la rattraper...

« Ouvrez-moi, chuchota l'enfant. Ouvrez-moi, s'il vous plaît. »

Jane fit volte-face, le cœur battant. Elle s'était crue en sécurité dans le jardin. Lentement, elle commença à reculer vers le mur.

« Va-t'en ! fit-elle violemment.

— Ouvrez-moi, implora l'enfant. Je serai sage, je promets. » C'était un accent si pitoyable — la voix d'une enfant qui avait trop longtemps pleuré dans le noir — qu'il toucha le cœur de Jane. Elle ne pouvait pas la chasser.

« Je voudrais jouer avec toi, dit l'enfant tout bas. S'il te plaît, laisse-moi jouer avec toi.

— Où es-tu ?

— Ici.

— Attrape ! » Et Jane lança en l'air la balle de tennis, qui retomba sans rencontrer d'obstacle et rebondit dans l'herbe.

« Je deviens folle », pensa-t-elle en l'observant. Mais on entendit comme une respiration rapide, haletante d'excitation, et la voix dit : « Je l'aurai ! Je l'aurai ! »

Alors la balle s'éleva au-dessus de la terre et parut suspendue dans le vide comme une lune tachetée, puis elle vint rouler avec un faible élan qui aurait tourné court si Jane n'avait couru pour la relancer, les articulations de ses doigts égratignant le gazon.

« Où es-tu ? demanda-t-elle encore.

— Ici. »

Elle lança la balle du côté d'où lui semblait venir la voix, et la vit s'arrêter soudain, saisie par des mains invisibles.

« Bien joué ! » cria-t-elle, et elle entendit l'enfant rire aux éclats.

Jane fut tout à coup prise d'une excitation folle. Toute sa crainte avait disparu, faisant place à une étrange joie. « Renvoie-la ! s'écria-t-elle, faisons une partie ! »

La balle vola vers elle en une haute trajectoire et, avant qu'elle ait pu sauter pour l'atteindre, une main l'avait rejointe au-dessus de sa tête et l'avait prise. Jane se retourna, déroutée.

Trois hommes de haute taille étaient derrière elle : le père de Charlotte et ses deux oncles. Derrière eux encore, Jane vit son amie qui venait lentement sur la pelouse, les yeux écarquillés, l'air inquiet. C'était le père de Charlotte qui avait attrapé la balle. Jane remarqua pour la première fois, maintenant qu'il avait cessé de parler et de rire, combien il semblait fatigué. Des rides profondes marquaient son front et le tour de sa bouche.

« Hello, Mary », dit-il doucement, regardant par-dessus la tête de Jane le gazon vide comme s'il s'attendait à y voir quelqu'un. Son visage semblait indécis comme un reflet dans une eau troublée. Ses traits accusés par l'âge étaient devenus des barreaux entre lesquels un visage d'enfant apparaissait comme pour plaider sa cause.

« Je peux jouer aussi ? » demanda-t-il presque

Alors la balle s'éleva au-dessus de la terre...

timidement et il lança doucement la balle. Elle revint si vite qu'il la manqua et l'enfant invisible eut un rire aigu et cria : « Doigts-de-beurre ! Qui maintenant a des doigts-de-beurre ? »

Une étonnante partie commença sur la pelouse ensoleillée : trois hommes et deux filles couraient, sautaient et s'exclamaient, tout en jouant avec une enfant fantôme qu'ils entendaient sans la voir. Ses cris résonnaient dans l'air du soir, doux comme ceux d'un oiseau.

« Je suis ici ! Pas là, idiot ! Encore raté ! »

Et les trois adultes s'élançaient tels des gamins, hurlant : « Par ici ! Attrape-la ! Oh ! bien joué, Mary ! Tu as vu ce coup-là ? »

Enfin, hors d'haleine, ils s'arrêtèrent. La balle tomba dans l'herbe et y roula lentement.

« Il faut que je parte, dit l'enfant. C'est l'heure d'aller au lit. Tu ne m'en veux plus, dis, Johnny ? »

Et le père de Charlotte répondit doucement : « Non Mary, je ne suis plus fâché, petite sœur. Va dormir. »

La voix était plus lointaine quand on l'entendit de nouveau, très tendre et très joyeuse :

« Bonne nuit, dit-elle. Bonne nuit, bonne nuit ! »

Puis ce fut le silence. Personne ne disait rien ; Jane, Charlotte et les trois hommes restaient là comme des statues. Les feuilles bougeaient dans le vent au-dessus de leurs têtes. Un oiseau appela d'un arbre. Plus loin, dans un jardin, quelqu'un allait et venait, poussant une tondeuse à gazon. C'était un beau soir d'été, baigné par le soleil d'or.

« J'avais oublié, dit le père de Charlotte, et bien que sa voix fût mal assurée, il souriait : Pauvre petite bonne femme, elle n'a jamais pu dormir sans que nous soyons réconciliés. Je l'avais oublié, cela... »

8

Chute de neige

Jake Benson était un enfant de l'hiver. Né un janvier tout blanc, tandis que la neige, dehors, tombait serrée comme maintenant, il avait tourné sa petite figure rouge et fripée vers la fenêtre et il avait souri en la voyant. Du moins sa mère l'affirmait-elle.

Certes, il avait toujours aimé la neige. Même à présent qu'il regardait tristement par la fenêtre de la classe, la vue des minuscules flocons tourbillonnant le réconfortait.

Après tout, se disait-il, c'était la faute de Timothy. S'il n'avait pas traîné pendant le déjeuner, à faire des dessins dans la purée avec sa fourchette, à pourchasser les petits pois, l'un après l'autre autour de son assiette, il ne serait pas tombé dans le couloir sur le gang des durs. En sixième, tout le monde savait qu'ils cherchaient une nouvelle victime. Et Timothy était là — le choix idéal —, petit, pâle, le nez rose comme celui d'un lapin blanc, et convulsé de terreur.

« Qu'attendait-il que je fasse ? se demandait Jake. Ils étaient quatre, des grands voyous de troisième, qu'est-ce que j'aurais pu faire ? Ça ne pouvait qu'aggraver les choses... »

Il jeta un coup d'œil vers Timothy : assis, voûté sur son livre, le menton dans les mains, les doigts écartés pour cacher les traces de larmes sur ses joues, il n'avait pas dit un mot depuis qu'il était rentré. Il évitait les yeux de Jake depuis ce dernier regard suppliant, dans le couloir après le déjeuner, quand le gang des durs s'était refermé sur lui.

« Hé toi ! Machin-Chose, le frisé. On a un mot à te dire. » Ils avaient cerné Timothy, le poussant vers la cour de récréation. Et Jake avait pris la fuite.

Il ne voyait pas ce qu'il aurait pu faire d'autre. Ils étaient tous les deux des nouveaux, des solitaires, toujours au bord des groupes où l'on discute, souriant d'un air contraint. Et parce qu'ils étaient assis l'un près de l'autre en classe, ils avaient pris l'habitude d'aller ensemble, attendant pour prendre le même bus qui les ramènerait chez eux.

« Mais nous ne sommes pas vraiment amis, se disait Jake, je ne lui dois rien. »

De l'autre côté de la fenêtre, la neige tombait sans cesse, couvrant en silence les allées de béton fendu, les haies boueuses, recouvrant les souillures du jour.

« J'arrangerai ça avec lui en rentrant dans le bus, décida Jake, j'expliquerai... quoi ? Que je suis un lâche ? Que j'étais content qu'ils le piquent et pas moi ? Que je n'ai même pas pensé à prévenir un des profs ?...

« Oh ! la barbe, j'inventerai quelque chose, une excuse. Je dirai que j'ai essayé de trouver M. Buant, ce vieux "Puant", de service dans la cour, aveugle comme une chauve-souris avec ses lunettes pleines de neige et pas d'essuie-glace. Je chercherai quelque chose. »

Il n'en eut pas l'occasion. Quand vint la dernière sonnerie, le signal du départ, Timothy ramassa ses livres et décampa. Jake, courant après lui, fut arrêté par M. Becker pour une question stupide à propos des devoirs. Quand il arriva au vestiaire, Timothy n'y était plus.

« Timothy Sinclair ? Il y a longtemps qu'il est parti, lui dit un des garçons. Il pleurait, non ?

— J'sais pas », marmonna Jake et il fila.

Dans le bus, il s'assit, regardant tristement par la fenêtre. La neige, ternie par l'éclairage au sodium, était toute piétinée sur les trottoirs. Elle tombait légèrement, à présent, en flocons dispersés qui ne pouvaient plus que moucheter les zones souillées de déchets devant les boutiques, là où la première neige avait été repoussée en tas sales dans les caniveaux.

Pourquoi la gâchait-on toujours ? se disait Jake.

Il descendit à Tatten's Corner et prit le chemin de la maison. Et là, sur le terrain communal, la neige restait dans toute sa gloire, épaisse, craquante et uniforme comme sur une carte de Noël. Les buissons luisaient tel du corail blanc dans le crépuscule fluide. Les arbres gelés se découpaient sur le doux rayonnement de la neige, la terre plus brillante que le ciel. Pas une tache, pas une trace ne déparait sa candide perfection.

Jake la contemplait, plein d'envie. « Ne traverse jamais seul le terrain communal », lui recommandait sa mère, rappelant les manchettes du journal local : une femme retrouvée poignardée, un vieillard agressé, un enfant disparu.

Ce soir, il hésitait. Toute cette neige intacte, qui n'attendait que lui ! Pourquoi ne pas le faire, rien qu'une fois ? Il avait passé une si horrible journée et c'était fini. Pas un assassin, pas un agresseur ne pouvait se cacher derrière un buisson, attendant de se jeter sur lui ; il n'aurait pu passer nulle part sans marquer la neige. A moins de voler !

Il regarda derrière lui. Personne ne le verrait.

Lentement, Jake quitta le trottoir piétiné et la sécurité des lampadaires, il s'engagea sur le terrain communal.

Il était explorateur dans l'Arctique, astronaute foulant la poussière glacée de quelque planète inconnue. Il était le yéti, « l'abominable homme des neiges », arpentant les espaces désolés de l'Himalaya. Il était le roi de l'Hiver...

Qui est là ?

Le voilà de nouveau petit garçon, l'enfant effrayé qui fait un écart pour échapper à la silhouette qui lui barre la route, tentant de courir et dérapant... Avec un cri, il tomba dans un lit de neige et resta tremblant.

Il leva les yeux. Ce n'était qu'un bonhomme de neige ! Un énorme bonhomme de neige, debout

Ce n'était qu'un bonhomme de neige...

comme une sentinelle au bord du chemin. Des galets noirs, dans sa tête, semblaient le fixer d'un air si menaçant ! Il n'y avait que de la neige tassée, et non un bas blanc, sur son visage, et la vilaine fente de sa bouche n'était qu'une petite brindille.

Jake se remit lentement sur ses pieds et marcha sur lui. Quelle sale bobine ! Il y avait quelque chose de familier dans ces traits lourds et grossiers, ces yeux mesquins, ces épaules épaisses. Art Waller ! Voilà à qui il lui faisait penser ! Art Waller, le chef du gang des durs. Art Waller qui lui avait fait lâcher son ami.

Tous les malheurs et la honte de la journée éclatèrent en colère. Il écrasa son poing sur le visage blanc qui ricanait, et vit avec une joie sauvage craquer sa chair froide. La moitié de la tête glissa sur les énormes épaules et tomba par terre. Mais l'œil qui restait gardait encore sur lui un regard immobile qui ne clignait même pas.

Arrachant du sol un bâton à demi enfoui, il se jeta sur la silhouette, perçant et tranchant, brisant et frappant à coups de pied.

« Voilà pour Timothy ! criait-il. Et voilà pour moi ! Et voilà pour tous ceux de nous que tu changes en lâches et en mouchards. Attrape ! »

Quand il s'arrêta enfin, rouge et haletant, il n'y avait à ses pieds qu'un tas de neige battue. Il se détourna, un peu honteux, légèrement écœuré. Ses bottes crissaient dans la neige profonde tandis qu'il marchait, mais le plaisir n'y était plus. Et il lui semblait s'être égaré ; des buissons, devant lui, barraient le chemin.

Il revint en arrière pour retrouver ses traces, et resta stupéfait. Il y avait bien des pas derrière lui dans la neige. Mais pas les siens. Des pas énormes, des pas monstrueux ! Et ils étaient en marche. Ils le suivaient.

Il ne voyait personne. Rien que les pas, mordant lourdement dans l'épaisseur de la neige jusqu'à la terre glacée en dessous. Il y avait aussi des traces d'animaux ; il vit les rosettes dessinées par leurs invisibles pattes, courant d'un côté à l'autre comme s'ils le flairaient.

Terrorisé, il fit demi-tour et se mit à courir, glissant et dérapant, percutant des buissons gelés, déclenchant de petites avalanches de neige. Et chaque fois qu'il regardait par-dessus son épaule, il voyait les pas se précipiter à sa suite, plus vite, toujours plus vite...

Il arrivait maintenant à une clairière ronde, un cercle blanc comme la lumière d'un immense projecteur. Tandis qu'il hésitait, se demandant quel chemin prendre, il vit des pas sortir des buissons devant lui ; de tous les côtés, ils arrivaient pour le cerner.

Avec un cri de désespoir, il fonça sur l'arbre le plus proche. Ses doigts gantés griffant l'écorce glacée, il réussit à se hisser jusque sur une branche. En baissant les yeux, il vit que les pas avaient encerclé l'arbre. Ici et là, il se faisait un doux remuement dans la neige, comme si quelque gros animal invisible s'était assis là pour attendre. Le vent hurlait comme des loups dans les branches. Et tout ce temps, une terrible impression d'hostilité montait du sol au-dessous de lui. On aurait dit que par sa propre violence, en écrasant le bonhomme de neige, il avait déchaîné une violence correspondante dans la nuit.

Il ne pourrait pas tenir bien longtemps. Déjà, il ne sentait plus la branche sous ses doigts et ses jambes s'engourdissaient. Tôt ou tard, il allait glisser, tomber, et il savait qu'alors, ce serait sa fin. Il voulut appeler au secours mais il ne sortit de ses lèvres que son souffle haletant, émettant dans l'air glacé la petite fumée des signaux de détresse. Ce qui lui semblait le plus terrible, c'est que la neige l'avait trahi, la neige qu'il avait toujours aimée.

Le monde bascula devant ses yeux. Il sentit ses doigts lâcher. « Au secours ! » pria-t-il.

Et soudain, il se remit à neiger en minuscules flocons, guère plus gros qu'une tête d'épingle. Ils tombaient de plus en plus vite, par milliers et millions, déferlant du ciel noir. Et les pas se remirent en mouvement, courant en avant, reculant, comme s'ils tentaient de s'échapper. Les petits flocons les étouffaient, les effaçaient ; ce n'était déjà plus qu'empreintes superficielles, courant en tous sens en proie à la panique. La neige tombait toujours impitoyablement et les balayait.

Sous Jake, qui dégringolait de l'arbre, il n'y avait plus rien qu'une blancheur lisse et immaculée. Il gisait là, raide comme un glaçon et ses larmes brûlantes tachetaient la neige sous sa joue. La neige tombait doucement sur lui, elle le couvrait, le cachait. Il n'avait qu'à fermer les yeux, reposer à l'abri dans ce lit doux et froid ; rien, plus jamais, ne pourrait lui faire de mal. Mais alors même qu'il se disait cela, un bloc de neige, tombant de l'arbre, le gifla. Il entendit le chuchotement des flocons qui, tombant sur son anorak, essayaient de lui dire quelque chose. Les petits doigts de glace l'asticotaient.

« Que me voulez-vous ? » fit-il à haute voix, et il s'assit, secoua la neige de ses vêtements et battit ses jambes froides de ses mains plus froides encore jusqu'à ce qu'elles reprennent vie.

Tout autour de lui, les flocons de neige chuchotaient, dans les arbres, dans les buissons, mais il ne comprenait pas ce qu'ils disaient.

Quand, enfin, Jake chancelant quitta le terrain communal pour reprendre le trottoir, il vit un garçon debout sous le lampadaire devant sa maison. C'était Timothy, les mains dans les poches, le capuchon de son anorak étroitement serré autour de son petit visage pâle et sérieux. Jake s'approcha et s'arrêta devant lui, sans rien dire.

« Pourquoi tu traînes la patte comme ça ?

— J'suis tombé d'un arbre.

— C'est malin !

— Ouais. Tu viens avec moi ?

— Comme tu veux. »

Ils repartirent ensemble vers la maison éclairée.

« Désolé pour... tu sais, après déjeuner », dit Jake embarrassé.

Timothy haussa les épaules. « Tu pouvais rien faire. »

« Rien, vraiment ? » se demandait Jake.

La neige tombait sur eux tandis qu'ils marchaient,

Le monde bascula devant ses yeux...

tachetait leurs anoraks et leur faisait des épaulettes blanches. Jake étendit la main et vit les flocons y tomber, fondre et tomber encore jusqu'à recouvrir son gant de laine bleu marine. « Drôle de truc, la neige, se dit-il. Fragile, mouillée, douce... et pourtant si puissante ! »

Tout à coup, il sourit. Il savait enfin ce que la neige avait essayé de lui dire. Il y avait quelque chose à faire. Dans sa tête, il vit une avalanche de garçons de sixième fonçant sur le gang des durs. Toute la sixième A, la sixième B et la sixième C, unies comme un seul homme pour les étouffer et les balayer à jamais.

9

AZERTYUIOP

« Les emplois ne poussent pas sur les arbres », disait volontiers le principal du collège de secrétariat Belmont.

« Affirmez-vous ! dit Mme Price en serrant la main de ses étudiants, le jour de leur départ. Lancez-vous dans le monde et gagnez ! J'ai toute confiance en vous. »

Quand elle en vint à la dernière élève, pourtant, sa confiance s'évapora d'un coup. Elle regarda Lucy Beck en soupirant.

« Bonne chance, ma chère », dit-elle avec bienveillance, mais plutôt comme on souhaiterait un heureux été à un bonhomme de neige.

Lucy Beck était jeune, petite, grise et passait aisément inaperçue. Elle n'avait réussi qu'une matière à option et sa vitesse de frappe aurait fait sourire une tortue.

« Mais qui voudra m'employer ? » avait-elle demandé un jour à Mme Price, qui s'était trouvée bien en peine de lui répondre.

Lucy voulait un emploi. Plus que quiconque, plus que n'importe quoi, il lui fallait un emploi. Elle en avait assez d'être pauvre, elle était écœurée de haricots et de macaroni au fromage, elle en avait plein le dos des nippes d'occasion.

« Nous sommes des marins sur la mer agitée de la vie », aurait dit sa mère.

Lucy aimait sa mère mais elle ne pouvait s'empêcher quelquefois d'avoir envie d'une bonne colère : crier, hurler, envoyer les casseroles à la tête hilare et branlante d'oncle Bert.

« Si je trouve un emploi, je m'en sors. Il ne boira pas ma paie, ça non ! *Si* je trouve un emploi... » L'ennui, c'est qu'elles étaient des centaines pour chaque poste, plus brillantes que Lucy, plus qualifiées qu'elle, avec des colliers d'options autour du cou comme des perles.

« Quel employeur dans son bon sens irait me choisir ? » se demandait-elle au moment de se rendre à sa première convocation.

Aussi fut-elle stupéfaite de se voir accueillie avec enthousiasme par M. Ross, de chez Ross & Bannister. On lui sourit, on lui serra la main, on lui offrit du thé et des biscuits, on lui dit que son unique option était justement celle qu'on cherchait. Enfin, on lui offrit le poste.

« J'espère que vous vous plairez ici », dit M. Ross

en la reconduisant. Il y eut comme une soudaine arrière-pensée dans sa voix, une ombre d'inquiétude derrière son sourire mais elle était trop excitée pour le remarquer.

« J'ai le job ! Ça y est ! cria-t-elle en se précipitant dans la cuisine. Je commence lundi et je serai payée en février. »

Sa mère se retourna pour la dévisager.

« Ça alors, c'est inouï ! Qui aurait cru... » dit-elle, toute surprise.

L'étonnement de sa mère ne vexa pas Lucy, elle le partageait. Elles n'avaient jamais fait confiance à la chance, mais s'en méfiaient comme d'un inconnu qui viendrait bien tard frapper à leur porte.

Ross & Bannister était une petite entreprise, avec une usine aux portes de la ville, où l'on fabriquait des coussins et des duvets, et un bureau dans la Grande Rue. Le lundi matin, à neuf heures moins dix, la porte de ce bureau était fermée à clef.

Elle était en avance. Elle lissa ses cheveux dérangés par le vent et attendit.

A neuf heures cinq, un homme d'un certain âge, avec de petits yeux noirs comme des raisins secs et un épais glaçage de cheveux blancs, monta l'escalier en clopinant. Il agitait un trousseau de clefs.

« Ah ! dit-il en apercevant Lucy, l'exactitude est la politesse des rois mais une dure nécessité pour les nouvelles recrues, hein ? Car vous êtes la nouvelle, je suppose, et pas une cliente impatiente de voir notre nouvelle gamme de coussins "plein soleil", par hasard ?

— Je suis Lucy Beck, dit-elle, et elle ajouta fièrement : la nouvelle secrétaire.

— Espérons que vous resterez plus longtemps que les autres, dit l'homme en ouvrant la porte. Entrez, entrez, Mlle Beck. Venez donc dans l'entrée, comme disait l'araignée à la mouche... Je suis Harry Darke, trente ans chez Ross & Bannister, mis à la retraite avec une montre en argent et qui revient maintenant hanter les lieux. J'peux pas les quitter, vous voyez ? » Puis il ajouta bizarrement, en baissant la voix : « Comme quelqu'un que je pourrais nommer, mais je ne le ferai pas. »

Il regarda Lucy qui restait là, timide et embarrassée, cramponnée à son sac, ne sachant que faire. « Pauvre Mlle Beck, il faut pas vous occuper du vieil Harry. Commissionnaire à mi-temps, garçon de bureau, préposé au thé, dépanneur de fusibles. Tout ce que vous voulez, vous le demandez au vieil Harry. M. Ross est en bas à l'usine, le matin, mais il vous a laissé un tas de travail pour vous occuper. » Il montra une pile de bandes sur le bureau. « Des lettres à taper, tout ça. Il a pris du retard avec la dernière fille qu'est partie si vite. Le jour même où elle est arrivée. Foutu le camp comme un chat échaudé !

— Pourquoi ? demanda Lucy avec curiosité.

— Pendez donc votre manteau dans le placard ici, dit-il, ignorant la question. Les toilettes sont dans le couloir à droite. La cuisine à gauche. On la partage avec Lurke & Dare, agents immobiliers, et Mark Tower, avoué. Pas de commérages de théières, attention ! La plupart des jeunesses vont déjeuner au

« Monsieur Ross vous a laissé un tas de travail... »

café Chez Tom. Mettez cette pancarte sur la porte quand vous partez. » Il lui tendait, au bout d'une ficelle en boucle, un carton sur lequel était imprimé : *Parti déjeuner. Retour à deux heures.* « Maintenant, est-ce qu'il y a autre chose que vous voulez savoir avant que je me tire ?

— Vous partez ? demanda Lucy, surprise.

— Oui, ma fille. J'ai des courses à faire. Pas peur de garder la maison toute seule, non ?

— Non, mais...

— Vous savez prendre un message au téléphone sans embrouiller les noms, au moins ?

— Oui, bien sûr.

— Rien d'autre, non ? Pas besoin de prendre un air de souris affolée.

— Mais, je ne le suis pas ! »

Il la regarda un long moment, avec une expression étrange, un peu comme s'il était désolé pour elle.

« Vous êtes très jeune, dit-il enfin.

— J'ai dix-sept ans.

— Vous les faites pas. Vous avez l'air d'être encore à l'école. C'est votre première place ?

— Oui. »

Il secoua la tête lentement, la considérant toujours avec cette bizarre pitié.

« C'est une honte », dit-il. Puis, devant son visage angoissé, il ajouta avec entrain : « Bon, faut que j'parte. M. Ross sera là cet après-midi. »

Pourtant il restait là, à la regarder. Gênée, Lucy détourna la tête et retira la housse de la machine à écrire.

« Juste une chose encore, dit le vieil homme. C'est une machine électrique.

— J'ai l'habitude des machines électriques », dit Lucy froidement. Elle commençait à en avoir assez.

« Pas celle-là. Elle... c'est pas pareil. Faut pas vous en faire, dit-il gentiment, si elle ne marche pas très bien de temps en temps. Vous en occupez pas. N'vous embêtez pas à retaper les lettres. Flanquez-y de ce vieux blanc à effacer. Tenez, je vous en ai pris une grande bouteille : "Papier liquide"... Qu'est-ce qu'ils ne vont pas inventer ! Et si ça se gâte, barrez les fautes avec un stylo noir. Regardez, j'en ai mis un dans votre corbeille, bien épais et bien noir. Ça devrait la calmer.

— Je ne fais pas de fautes, dit Lucy, puis l'honnêteté l'obligea à ajouter : enfin, pas beaucoup. J'ai appris, j'ai un diplôme.

— Oui, oui mon petit, elles en avaient toutes », fit-il tristement, puis il s'en alla.

D'abord désorientée pendant quelques instants, Lucy fut heureuse d'être seule, sans personne sur son dos. Elle regarda avec plaisir le bureau autour d'elle. *Son* bureau.

Le soleil ruisselait à travers la fenêtre, les rideaux bougeaient un peu sous la brise printanière. Il y avait sur le plancher un petit tapis vert et bleu.

« Je mettrai des jonquilles dans un vase bleu, se dit Lucy. Je peux acheter des fleurs maintenant. Ou je pourrai en février. »

Mieux valait se mettre au travail. Elle s'assit,

brancha la machine à écrire, plaça papier et carbones puis mit en route la première bande.

« Prenez une lettre à MM. Black & Hawkins 28, rue du Marché, Cardington. Chers messieurs... » La voix de M. Ross s'élevait, claire et posée, de la tête de lecture. Elle commença à taper.

Elle avait appris la « frappe au toucher » : inutile de regarder les touches ; ses doigts gardaient leur rythme lent et ferme tandis que ses yeux se promenaient autour du bureau, par la fenêtre, en bas dans la rue ensoleillée.

« ... notre gamme de coussins "plein soleil" en jaune, orange et rose », disait la voix de M. Ross.

Une chose étrange se produisit ! Une sensation anormale passa dans ses doigts, un picotement, un fourmillement glacé...

Elle retira ses mains et fixa la machine, qui lui répondit par un innocent bourdonnement. Que se passait-il ? Il y avait quelque chose... Son regard tomba sur la lettre inachevée.

Chers Messieurs,

J'ai le plaisir de vous informer que AZERTYUIOP & Bannister présentent une nouvelle AZERTYUIOP de coussins « plein soleil » en AZERTYUIOP, orange et AZERTYUIOP...

Horrifiée, elle écarquillait les yeux. Qu'était-il arrivé ? Qu'avait-elle fait ? Même le premier jour au collège de secrétariat Belmont, elle n'avait jamais commis d'erreurs aussi ridicules. Quelles étranges erreurs : AZERTYUIOP, la première rangée de lettres sur un clavier de machine à écrire, répétée encore et encore ! Dieu merci, personne n'était là pour s'en apercevoir. On aurait cru qu'elle était devenue folle.

Il fallait faire plus attention, garder son esprit au travail sans le laisser vagabonder par la fenêtre, dans la rue pleine de boutiques et de soleil. Plaçant du papier neuf sur la machine, elle recommença.

Elle aurait bien voulu voir le clavier... « Ne regardez pas les touches ! disait toujours Mme Price. Regardez ailleurs. Pas même un coup d'œil. Vous ne serez jamais une bonne dactylo si vous ne savez pas taper au toucher. Le rythme, tout est dans le rythme. Faites-en une musique dans votre tête. »

Et Lucy obéissante regardait ailleurs et tapait sur un air lent dans sa tête, de bada tatita, bada tatita... Pourquoi ses doigts semblaient-ils bizarres ? Pourquoi avait-elle la chair de poule ? La machine ronronnait-elle vraiment *juste* ?

Elle se cala sur sa chaise, joignit les mains et regarda la lettre sur la machine. Elle lut :

Chers Messieurs,

VOUS ETES ASSISE SUR MA CHAISE de vous informer que ALLEZ-VOUS-EN une nouvelle gamme de ON NE VEUT PAS DE VOUS ICI coussins en jaune, PETITE IDIOTE et rose. AZERTYUIOP.

Elle n'en croyait pas ses yeux. Considérant fixement ces mots extraordinaires, elle se mit à trembler.

« Espérons que vous resterez plus longtemps que les autres », avait dit le vieil homme.

Les larmes lui vinrent aux yeux. Elle arracha les feuilles de la machine et les jeta dans la corbeille à papier, puis elle en mit des neuves et recommença. D'un air résolu, défiant l'enseignement de Mme Price, elle ne quitta pas le clavier des yeux.

Chers Messieurs,

Nous avons le plaisir de vous informer que Ross & Bannister présentent une nouvelle gamme de coussins « plein soleil »...

Crépitante, la machine prit la suite. Lucy sentit les touches frapper ses doigts, sautant et retombant tels des enfants déchaînés à la récréation. Elle retira ses mains et attendit.

... VOUS NE M'ELIMINEREZ PAS COMME ÇA, tapait la machine. VOUS NE SEREZ JAMAIS DÉBARRASSÉE DE MOI. JAMAIS. POURQUOI NE PARTEZ-VOUS PAS ? PERSONNE NE VEUT DE VOUS ICI. ALLEZ-VOUS-EN AVANT...

Puis elle s'arrêta, laissant sa menace en suspens.

Lucy bondit, retourna sa chaise et courut à la porte.

« Partie le jour même, avait dit le vieux, foutu le camp comme un chat échaudé ! »

« Non ! » cria Lucy.

Elle quitta la porte et vint à la fenêtre regarder en bas les boutiques éclatantes. Elle pensa aux soldes minables et aux haricots. A de jolies robes neuves et à des tranches de rumsteck. Elle était peut-être jeune, timide et un peu lente, mais lâche, ça non !

Elle revint s'asseoir devant la machine et l'examina : tapie comme un vilain monstre trapu, elle la fixait de tous ses yeux alphabétiques.

Lucy tapa rapidement :

« Êtes-vous une extraterrestre ? »

La machine s'agita comme si elle riait, ses touches cliquetant telles des fausses dents mal ajustées.

« IDIOTE, écrivit-elle.

— Qui êtes-vous ? tapa Lucy.

— MADEMOISELLE BROOME », répondit-on.

Lucy hésita, elle ne savait pas du tout quoi dire après cela. Enfin, elle tapa :

« Comment allez-vous ? Je suis Mademoiselle Beck.

— ALLEZ-VOUS-EN, MADEMOISELLE BECK.

— Pourquoi ?

— JE SUIS LA SECRÉTAIRE ICI, affirma la machine, en lettres rouges cette fois.

— Non, vous ne l'êtes pas, c'est moi ! » tapa Lucy furieuse.

La machine devint folle.

« AZERTYUIOP ! "/ § AZERTYUIOP — & () ° AZERTYUIOP + ! » hurla-t-elle, en claquant et secouant ses touches comme des castagnettes.

Lucy débrancha la machine. Elle resta assise un long moment, regardant fixement devant elle, le visage immobile. Puis elle déboucha la bouteille de blanc à effacer.

Pendant une heure, elle se battit contre la machine. Aussitôt qu'apparaissaient les AZER-

TYUIOP et les majuscules indésirables, elle attaquait au pinceau. Le liquide blanc coulait sur le papier comme une glace fondante et dégoulinait jusque dans les profondeurs de la machine.

« VOUS ME NOYEZ », se plaignit-elle, pathétique, et Lucy balaya ces mots d'un coup de pinceau.

« AU SECOURS ! » Nouveau coup de pinceau.

« JE VOUS EN PRIE ! »

Mais Lucy se montra sans pitié. La grande bouteille était à moitié vide quand elle arriva triomphalement au bout de la lettre. Elle tapa :

« Avec mes sentiments distingués,
George Ross »,

puis elle se laissa aller sur sa chaise avec un soupir de soulagement.

La machine se remit à crépiter. Lucy retira trop tard la lettre terminée. En travers de la feuille, sans faute par ailleurs, on lisait maintenant, tout en bas, en grandes majuscules rouges :

« JE VOUS HAIS ! »

Elle barra les mots avec rage.

M. Ross vint au bureau à quatre heures. Ses yeux se tournèrent vers le coin du bureau où Lucy avait posé les lettres achevées. S'il fut surpris d'en trouver si peu après une journée de travail, il n'en dit rien et les prit.

« Des coups de téléphone ? demanda-t-il.

— Sur votre bureau, monsieur », dit Lucy et elle sortit pour lui préparer du thé.

Quand elle l'apporta, sur un plateau de métal à fleurs, elle trouva M. Ross en train de signer la dernière lettre, son stylo dérapant quelque peu sur la couche épaisse et luisante de papier plastifié. Toutes les lettres étaient ainsi lourdement damassées, comme des serviettes de table amidonnées. Il leva vers elle un regard malheureux.

« Avez-vous eu des problèmes avec la machine, mademoiselle Beck ? demanda-t-il.

— Oui, monsieur. (Elle n'osa préciser lesquels, craignant d'être prise pour une folle.)

— Elle vient juste d'être révisée, dit-il d'un air las.

— Je suis désolée, monsieur. Elle est toujours... détraquée. »

Il y eut un long silence. Puis il conclut avec un soupir : « Je vois. Eh bien, faites ce que vous pouvez. Si cela ne va pas mieux à la fin de la semaine... »

Il laissa sa phrase en suspens, si bien qu'elle se demanda laquelle y passerait, de la machine ou de Lucy Beck...

Le lendemain matin, Harry Darke leva les sourcils en la voyant.

« Toujours là ? s'écria-t-il. Bravo, ma chère. Je n'aurais jamais cru vous revoir. Vous êtes plus courageuse que vous n'en avez l'air. On s'est battue, hein ?

— Oui », dit simplement Lucy. Elle passa devant lui pour aller jusqu'au bureau. *Son* bureau. Puis elle tira de son sac en plastique un petit bouquet de jonquilles et un vase bleu.

« On marque son territoire, à ce que je vois, dit le vieux en la regardant avec admiration. Voulez-vous que je vous le remplisse ?

— Merci. »

Il revint portant un plateau.

« Je me suis dit que je pouvais aussi bien nous faire du thé, pendant que j'y étais. Voilà votre vase.

— Merci.

— Je reste jusqu'à une heure aujourd'hui, dit-il tandis qu'elle arrangeait ses fleurs. Y'a quelque chose que vous voudriez savoir ? Des pépins ? J'pourrais vous aider ? Les ampoules sont changées, les fusibles réparés. Il y a des bouteilles neuves de blanc à effacer...

— Monsieur Darke, dit Lucy, le regardant droit dans ses petits yeux brillants, qui est Mlle Broome ?

— C'est pas la bonne question, mademoiselle Beck. »

Lucy réfléchit un moment puis elle reprit : « Qui *était* Mlle Broome ? »

Il lui sourit en hochant la tête. « Vous pigez vite, on peut le dire. En fait, vous n'êtes pas la petite souris effarouchée qu'on croirait. Vous êtes un vrai petit lion. Et il le faut pour vous attaquer à Mlle Broome. Une sacrée vieille peau qu'c'était.

— Parlez-moi d'elle, demanda Lucy, pendant qu'ils prenaient leur thé.

— C'était la secrétaire du vieux M. Bannister. Elle est restée ici quarante-trois ans, jeune fille, femme, et vieille rabat-joie. Assise là où vous êtes, le dos raide comme la justice, et une justice à faire sauter les têtes, encore ! Ses vieux doigts raides tapant les lettres une par une, le nez sur le clavier, tellement elle était devenue myope à ce moment-là. Pas question de votre "frappe au toucher" ! Elle regardait chaque lettre en face comme si c'était un criminel et elle le juge. Il faut pas vous étonner qu'elle vous déteste, vous autres jeunes filles, avec vos doigts qui volent sur les touches comme des papillons blancs, et vos yeux perdus dans les rayons de soleil. Ils l'ont mise dehors, vous savez.

— Au bout de quarante-trois ans ? dit Lucy touchée de compassion.

— Eh bien, elle avait fait son temps, non ?

Naturellement, ils lui ont enveloppé ça comme il faut. On lui a donné une pendule en cuivre, une poignée de main, et bonsoir ! Elle ne voulait pas partir. Elle n'avait rien de mieux où aller — une chambre, un réchaud à gaz... La malheureuse n'avait pas de famille pour la réclamer. Ici, c'était chez elle et ce travail sa raison de vivre. »

Lucy se taisait. Sa mère avait mis à la porte oncle Bert, une fois, après une dispute. Six semaines plus tard, elle lui demandait de revenir. « Il avait l'air si seul, si perdu, avait-elle dit à Lucy, livré à lui-même dans cette horrible petite chambre, avec son lino usé et ses rideaux tout rétrécis. »

« Ça vous fait pitié, hein ? » demanda Harry Darke qui l'observait.

Lucy durcit son cœur. « C'est mon travail maintenant, dit-elle. J'en ai besoin. Elle ne peut pas le garder toujours, ce n'est pas juste. C'est mon tour à présent.

— Alors, c'est le match au finish, c'est ça mam'zelle Beck ? dit-il en souriant.

— Oui », répondit-elle en dévissant le bouchon de la bouteille de « Papier liquide ».

Sa mère travaillait tard ce soir-là. Lucy, allant à la cuisine pour y prendre son propre dîner, fut surprise de trouver la table mise avec soin, du jambon et de la salade, une tourte aux pommes et un pot de lait. Oncle Bert, assis, l'attendait, rayonnant de fierté.

« J'ai pensé qu'il fallait te préparer à dîner, expliqua-t-il, maintenant que tu travailles.

— Merci, fit-elle, mais elle ne put s'empêcher

d'ajouter méchamment : Je ne serai pas payée avant février, tu sais. Inutile d'essayer de me taper de cinq livres. »

Il rougit. « Tu n'as pas très bonne opinion de moi, n'est-ce pas ? Qui es-tu pour te faire juge et jury ? Tu ne sais pas ce que c'est... se sentir de trop. Un peu de gentillesse, ça aide ! »

Lucy remarqua ses mains tremblantes ; son visage effondré semblait pris dans un réseau écarlate de veines rompues. Son regard était pitoyable.

« Oncle Bert... commença-t-elle.

— Quoi ? » Il lui jeta un coup d'œil méfiant.

« Je suis désolée. Je regrette, oncle Bert.

— Moi aussi, Lucy, dit-il. Je sais que c'est une calamité de m'avoir ici.

— Non, non ! Ce n'est pas vrai ! Nous avons besoin de toi », dit-elle.

Ils se sourirent timidement par-dessus la table de cuisine, chacun se rappelant la petite fille et l'oncle charmant qui avaient un jour lancé ensemble des cerfs-volants dans le parc de Waterloo.

Le mercredi était le jour de congé de Harry Darke. Seule au bureau, Lucy mit une feuille de papier sur la machine et tapa vivement :

AZERTYUIOP AZERTYUIOP AZERTYUIOP

La machine fit un bond, comme surprise, et se mit à bourdonner.

Lucy continua :

Chère mademoiselle Broome,

M. Darke m'a dit que vous aviez été la secrétaire de M. Bannister.

— JE LE SUIS, interrompit la machine.

— Je suis désolée d'avoir à vous apprendre que M. Bannister (elle hésita, ne sachant comment le dire)... a disparu il y a trois ans, à l'âge de quatre-vingt-six ans...

— MENTEUSE ! JE NE VOUS CROIS PAS !

— C'est vrai, mademoiselle Broome, j'ai vu sa tombe au cimetière ; elle n'est pas loin de la vôtre. J'y suis allée hier soir et j'y ai déposé des fleurs...

— !!!!!

— Je l'ai fait. M. Darke s'inquiète au sujet de M. Bannister. Il ne sait pas comment il fera sans vous...

— IL PEUT BIEN SE DEBROUILLER SANS MOI ! dit la machine avec amertume. IL M'A DIT DE PARTIR. UNE PENDULE EN CUIVRE, QU'EST-CE QUE J'AI A FAIRE DE PENDULES EN CUIVRE ! C'EST MA PLACE QUE JE VEUX.

— Ils vous ont demandé de partir par souci de votre santé. (Lucy tapait rapidement.) M. Darke m'a raconté que M. Bannister disait toujours combien vous lui manquiez...

— ???

— Vraiment. Il a dit que M. Bannister se plaignait qu'aucune de ces filles de maintenant ne valait rien. Il n'y en avait pas une comme vous, disait-il... »

La machine à écrire restait silencieuse. Le soleil

« Tu n'as pas très bonne opinion de moi ? »

brillait sur ses touches, si bien qu'elles paraissaient mouillées.

« Vous devez lui manquer. Il est sûrement dans une horrible pagaille là-haut, égarant ses ailes, à la recherche de sa harpe... Il a besoin de quelqu'un pour veiller sur lui. »

La machine se taisait. Lucy attendit, mais elle ne dit plus rien.

Alors, elle tapa :

« Adieu, mademoiselle Broome. Bonne chance dans votre nouvel emploi.

Avec mes meilleurs sentiments,

Lucy Beck, secrétaire. »

Elle plia la lettre en forme de fléchette et l'envoya voler par la fenêtre. Le vent la prit et l'emporta.

M. Ross est enchanté maintenant de sa nouvelle secrétaire. Harry Darke dit qu'elle est championne et il lui donne des biscuits au chocolat avec son thé. Il lui a demandé :

« Mais comment diable avez-vous fait ? »

10

Le bal masqué

Tout le monde à Venise avait l'air amoureux. C'est-à-dire tout le monde, sauf Arthur Brown et sa tante Millicent.

Assis à une table au soleil, ils mangeaient des glaces, en regardant les gens passer main dans la main, deux par deux. Le soleil faisait scintiller l'eau du Grand Canal. Au loin sur la rive, les vieux palais, aussi roses et décrépits que le visage de Millicent, sommeillaient sur leurs reflets. De temps en temps, une vedette passait bruyamment, et son sillage clapotait contre les gondoles amarrées, qui se heurtaient les unes aux autres comme de longs cygnes noirs brusquement affolés.

« Venise au printemps, dit tante Millicent, quoi de plus beau ? »

« Tout ! pensait Arthur. Donne-moi la foire

d'Hampstead Heath, la discothèque à Camden Lock... et Venise, tu peux le garder ! »

Mais il sourit et marmonna une vague politesse. C'était gentil de sa part, à cette tante fortunée, de lui offrir des vacances à l'étranger ; il fallait lui en être reconnaissant. Ce n'était pas sa faute si les gens qui logeaient dans leur luxueux hôtel étaient tous gros et vieux ; il n'avait pas de chance, voilà tout.

Il avait tant attendu ces vacances ! A quinze ans, il était tout prêt à tomber amoureux. Un peu de chance, le sourire d'une jolie fille, et c'en serait fait de son cœur. Il avait hâte de vivre une aventure romanesque dont il pourrait se vanter à l'école. Mais nul ne lui jetait même un regard. Les sourires étaient pour tante Millicent.

Si seulement elle n'était pas aussi grosse. Si elle ne portait pas une robe rose à gros pois noirs... Elle avait l'air d'une glace aux fruits, avec ses cheveux décolorés ramenés en tas au-dessus d'une tête de fraise, et surmontés d'un canotier de gondolier, comme une gaufrette nouée d'un ruban rouge. En lettres blanches sur le ruban : *J'aime Venise.* Que n'était-elle invisible ? Il ne pouvait pas s'empêcher de le souhaiter.

Deux jolies filles passèrent, les premières qu'il ait vues sans garçons. La brune regarda sa tante, ses lèvres remuèrent, elle se retourna, chuchota quelque chose à l'oreille de sa compagne et toutes deux se mirent à rire.

« Je les tuerais, se dit-il, je voudrais leur tirer dessus. »

Tante Milllicent aussi les avait remarquées mais

Elle avait l'air d'une glace aux fruits

sans paraître offensée de leur hilarité, elle leur sourit gentiment.

« C'est dommage qu'il n'y ait pas de jeunes à l'hôtel, dit-elle. Ça doit être ennuyeux pour toi de te promener avec une vieille femme comme moi.

— Mais non, répondit-il, poli, je m'amuse bien. » Il sentit son visage se raidir dans l'effort qu'il faisait pour paraître plein d'entrain.

« Tu trouveras peut-être quelqu'un vendredi », reprit-elle.

« Vendredi », songea Arthur, et une étincelle d'excitation vint éclairer son esprit brumeux. Vendredi, l'hôtel donnait son bal annuel. Un bal masqué.

« Le garçon a dit que tout le monde devait être

masqué, dit tante Millicent, ce sera amusant, n'est-ce pas ? »

Les images se pressaient dans la tête d'Arthur : silhouettes vêtues de capes flânant dans de petits chemins pleins d'ombre, voix rieuses... Il se voyait avec une fille sur le petit pont devant l'hôtel, écoutant, au loin, le chant des gondoliers, regardant la lune se refléter dans l'eau sombre. Puis le son des cloches de minuit... une main gantée qui lève un masque pour découvrir...

« N'est-ce pas une chance que j'aie apporté ma mousseline rose ? » demanda tante Millicent tout heureuse.

« ... pour découvrir tante Millicent, conclut amèrement Arthur. Qui d'autre y aurait-il pour danser avec lui ? Tante Millicent ou l'une des autres vieilles peaux. »

« Il y aura sûrement beaucoup de jeunes, dit la tante comme si elle devinait ses pensées. Ce n'est pas réservé aux clients de l'hôtel, on vient de tout Venise. Nous ferions bien d'aller choisir nos masques demain, avant que les plus beaux ne soient partis. J'ai remarqué ce matin une boutique qui en vend. De vrais masques de carnaval. Mais où était-ce donc ? »

Il leur fallut une heure pour trouver le magasin. Les rues étroites et encombrées se ressemblaient toutes. Partout des étalages de verrerie vénitienne, tourterelles roses, chevaux dorés, gobelets pourpres et presse-papiers mouchetés. Ils avaient dû tourner en rond.

« J'ai horriblement mal aux pieds, dit tante Millicent d'une voix dolente. Si nous ne trouvons pas tout de suite, j'y renonce. »

Mais, soudain, c'était là, juste au coin de la rue. Une boutique étroite, pleine de faces creuses : diables et monstres, jeunes beautés et têtes de mort, aux bouches ouvertes, aux yeux fixes et vides.

« N'est-ce pas amusant ? » disait tante Millicent.

Elle posa un masque sur son visage et se tourna vers Arthur, transformée.

C'était une tête de poupée aux joues roses, rondes et brillantes, à la bouche en cœur. Avec son corps massif là-dessous, elle ressemblait à une de ces poupées russes qu'on dévisse par le milieu pour trouver dedans une autre poupée, puis une autre encore et encore. « Six tantes Millicent, songea Arthur. Bon Dieu ! »

« Qu'en penses-tu ? demanda-t-elle.

— C'est super.

— Tu crois ?

— Oui », fit-il en pensant : non.

Elle se retourna vers le miroir et dit d'un air songeur : « Cela me rajeunit, n'est-ce pas ? Un vieux mouton qui fait l'agneau, comme on dit... Eh bien, pourquoi pas, après tout ? Je le prends. »

Elle le tendit à la marchande qui sourit, dit quelque chose en italien et commença de l'envelopper. « La jeunesse de tante Millicent, songea Arthur, rangée dans la naphtaline jusqu'à la prochaine fois. »

« Maintenant, il faut t'en choisir un », dit-elle.

Il regarda autour de lui. Que serait-il ? Un démon ? Un ange ? Un dragon ?

« Que dirais-tu de cette tête de lion ? suggéra sa tante. Ou ce dragon ? Regarde ce doré, il est assez beau. »

Mais, il ne savait pourquoi, ces visages ricanants et peinturlurés ne lui disaient rien. Ils lui rappelaient trop ses tantes à Noël. Il avait envie d'autre chose...

« Je voudrais celui-là, dit-il brusquement, le doigt tendu.

— Ça ? s'exclama-t-elle, incrédule, en le regardant. Mais il est si quelconque ! Ne t'occupe pas du prix, Artie, c'est moi qui te l'offre. Tu ne préfères pas un plus coloré ? »

La marchande, une vieille femme aux yeux d'olives noires, voyant qu'Arthur avait choisi, prit le masque et le lui tendit.

« Je ne sais pas, dit tante Millicent, mal à l'aise, on dirait un peu une tête de mort. »

Arthur le mit et se regarda dans la glace. Le collégien bien élevé à la figure ronde avait disparu. Sous ses cheveux bruns, il y avait maintenant une mystérieuse absence, un blanc de papier. Les orbites, noires comme des taches d'encre, semblaient vides. Il ressentit une étrange excitation, une impression de liberté. Il avait toujours détesté son propre visage : si banal, terne, sans caractère. « Il est de notre côté », avait dit un jour son père, et Arthur, considérant autour de lui ses oncles rouges et corpulents et ses tantes épaisses, avait haussé les épaules intérieurement. Il n'avait pas envie de leur ressembler ; il ne voulait ressembler à *personne*.

Derrière le masque, il tordit son visage en d'horribles grimaces, et la face blanche dans le

Elle posa un masque sur son visage...

miroir lui rendit poliment son regard, sans rien trahir.

« Ça donne un peu la chair de poule, dit tante Millicent gênée.

— J'aime bien », dit Arthur. Il se tourna vers elle brusquement et fit un salut profond et cérémonieux. « Très gente et belle dame, demanda-t-il bizarrement, voulez-vous me le donner ? »

Le masque cacha sa rougeur. Pourquoi diable avait-il dit cela ? Elle allait penser qu'il se moquait d'elle.

Mais tante Millicent se mit à rire : « Garde-le, Artie ! Naturellement, tu le peux, si tu es sûr que c'est bien celui que tu souhaites ?

— Oui. »

La marchande dit tout à coup quelques mots rapides en italien. Ils lui sourirent distraitement, sans avoir rien compris.

« Nous prenons celui-ci », dit tante Millicent.

Arthur ôta le masque et le tendit à la vieille femme ; elle restait là, le tenant à la main et fixant Arthur de ses yeux noirs. Puis elle dit quelque chose d'une voix hésitante.

Il fit un geste évasif. « Désolé. *No comprendo.*

— Nous prenons les deux, dit sa tante. Non, "les deux" c'est du français. Comment dit-on en italien, Artie ?

— Euh... *uno*, *due*... *Il due*, je crois.

— *Il due*, répéta tante Millicent. *Comprendo* ? »

La marchande regardait toujours Arthur, de ses yeux sombres, et sans sourire.

« *Sta attento!* dit-elle. *Sta attento alla ragazza morta!*

— Parlez-vous anglais ? » demanda tante Millicent.

La femme secoua la tête. Au bout d'un moment, elle se détourna en haussant les épaules et enveloppa le masque blanc.

« Vous pouvez mettre les deux dans le même sac », dit aimablement tante Millicent.

Arthur ne se lassait pas de regarder le masque. Ce soir-là, seul dans sa chambre d'hôtel, il l'essaya encore devant la glace. Une fois de plus, il ressentit cette étrange excitation. Le visage blanc semblait attendre quelque chose, comme la page vierge d'un agenda tout neuf qui promet un nouveau départ.

Il se sentait agité. Portant toujours le masque, il sortit sur le balcon. Au-dessous de lui, il voyait l'eau sombre de l'étroit canal qui coulait devant l'hôtel. Les marches humides et souillées où chaque matin les gondoles apportaient les provisions, chargées de légumes et de fruits, de petits pains et de linge fraîchement lavé. (« Oh ! regarde, Artie, avait dit tante Millicent. Que c'est romantique ! Se faire livrer ses "Coco Crispies" en gondole ! »)

Il en arrivait une à présent. Arthur, penché sur la balustrade, la regardait approcher. Une jeune fille était assise sur les coussins ; elle avait une longue chevelure rousse, brillante comme du cuivre poli dans la lumière de la lampe. Derrière elle, le gondolier se penchait sur son aviron, le visage dans l'ombre de son chapeau de paille.

« C'est plutôt ça, se dit Arthur. Voilà la Venise

que j'espérais. Et pas toutes ces églises et ces palais barbants... Ah ! si j'avais le courage de faire du stop ! »

« *Buona sera, signorina !* » lança-t-il, à son propre étonnement.

Elle leva les yeux. Son visage était pâle, presque aussi blanc que le masque, réchauffé seulement par l'ardente chevelure. Elle était belle, et elle lui sourit.

« Parlez-vous anglais ? demanda-t-il plein d'espoir.

— Oui.

— Viendrez-vous au bal masqué vendredi ? »

Mais la gondole s'éloignait maintenant, sur l'eau dans l'ombre du pont. Se penchant au-dehors aussi loin qu'il l'osa, Arthur vit une main pâle qui lui faisait signe.

« S'il vous plaît, venez ! » cria-t-il, et il crut l'entendre répondre. Malheureusement, elle était trop loin pour qu'il pût comprendre les paroles.

Il demeura longtemps penché sur la balustrade à suivre le bateau des yeux. « Elle ne m'aurait pas souri, se dit-il, si je n'avais pas porté mon masque. » Et il se demanda s'il ne venait pas de tomber amoureux.

Le vendredi soir, l'hôtel était plein de rires, de voix excitées et de pas pressés. Tante Millicent, tout emmaillotée de mousseline rose et portant son masque de poupée, sortit de la chambre n° 16 et trottina le long du couloir sur ses hauts talons jusqu'à la chambre n° 21. Elle s'arrêta et frappa.

La porte s'ouvrit. Une silhouette était là, debout, comme une ombre : cheveux noirs, sweat-shirt noir,

« Buona sera, signorina !... »

pantalon noir, chaussures noires. Le visage seul était blanc. Un visage vide, sans expression, étrangement troublant.

« Seigneur ! Est-ce bien toi ? s'écria tante Millicent. Tu as l'air... Ça m'a donné un choc. Artie ? Artie, c'est toi, vraiment ?

— Oui.

— Bien sûr, qui cela pourrait-il être ? dit-elle, se moquant d'elle-même. Je dois dire que tu as l'air très... impressionnant.

— Mes mains, dit-il en les montrant, mes mains ne vont pas. »

Elle les examinait, embarrassée.

« Elles me paraissent très bien. Nettes et propres en tout cas.

— Elles sont trop rouges, trop *charnues*.

— Rien à redire à une chair saine, dit tante Millicent en riant. Mais si cela t'ennuie, je peux te prêter une paire de gants de coton blanc. »

Les gants lui allaient. Les choquantes mains rouges étaient cachées. Plus rien n'était visible d'Arthur Brown.

En bas, l'orchestre avait commencé à jouer. Déjà la salle était pleine. Partout des silhouettes fantasques gambadaient et se balançaient au rythme de la musique. Une face démoniaque ricanait sur une robe de dentelle blanche. Un oiseau au bec doré portait un étroit treillis bleu. Un lion tournoyait en taffetas.

« N'est-ce pas amusant ? » disait tante Millicent.

Un gros clown au nez rouge se retourna au son de sa voix.

« Est-ce que nous ne nous sommes pas déjà rencontrés ? dit-il. Je suis sûr de reconnaître ce joli visage. »

Derrière son masque ridicule, tante Millicent gloussa de plaisir.

« A elle de se débrouiller », se dit Arthur et il s'esquiva sans bruit. Il cherchait la fille de la gondole, la fille aux longs cheveux roux. Des masques l'entourèrent avec des rires aigus, babillant en une douzaine de langues différentes. Blondes, brunettes, rincées au bleu... Où était-elle ? Peut-être ne viendrait-elle pas ?

« Pardon, pardon », répétait-il en se frayant un chemin à travers la salle.

Une main saisit son bras, et une voix demanda, pleine d'espoir : « Hé ! c'est toi Bobby ? C'est bien toi ? »

Celle-ci avait les cheveux courts et blonds ; elle portait un masque de poupée puérile.

« Non, je regrette, dit-il.

— Oh ! zut ! encore une erreur. Au moins vous parlez anglais. Vous n'êtes pas John par hasard ?

— Je ne suis personne », répondit-il, et brusquement il eut froid. Le masque blanc, les gants blancs semblaient sur sa peau comme de glace.

« Comment les trouver dans tout ça ? demanda la jeune fille tristement. Rendez-vous à la salle de bal, ils ont dit. J't'en fiche ! Je sais même pas à quoi ils ressemblent maintenant. »

Sa voix était chaude et amicale. Il eut brusquement envie de prétendre qu'il était Bobby ou John, ou qui elle voudrait. Mais il s'entendit répéter : « Je ne suis personne. »

Alors un groupe de masques les sépara. « *Scusi, signore. Scusi, signorina.* » Quand il la chercha, elle était partie.

Il était tremblant et se sentait bizarre. Allait-il être malade ? La tête lui tourna, il eut un frémissement dans les mains. Il se retint au dossier d'une petite chaise dorée et regarda passer les danseurs, allant et revenant sans cesse... « Je ne veux pas m'évanouir, se dit-il, je ne veux pas être malade. »

Une grosse silhouette rose aux cheveux décolorés ramenés sur le sommet de la tête passa en dansant avec un petit homme massif.

« Tante Millicent ! cria-t-il, rassuré, en essayant de la rejoindre. Tante Millicent ! »

Mais quand elle se retourna, il découvrit la face verte et fripée d'une monstrueuse guenon.

« Excusez-moi », murmura-t-il.

Il avait chaud à présent, son visage brûlait sous le masque blanc, ses mains grillaient dans les gants blancs. Il se faufila hors de la salle et voulut retirer son masque ; mais ses mains gantées de blanc étaient étrangement maladroites. Il ne trouvait pas le bord du masque, il étouffait. Il lui fallait de l'air...

Dehors, il faisait noir et froid. Le reflet d'une lampe dansait comme une balle d'or sur l'eau sombre du canal. Près des marches mouillées, s'allongeait l'ombre d'une gondole. Sa proue de métal recourbée luisait comme l'argent dans la nuit.

Le gondolier debout, silencieux, maintenait le

bateau contre les marches, du bout de sa longue rame. Son visage était invisible, dans l'ombre de son chapeau de paille. En face de lui sur les coussins, était assise la fille aux longs cheveux roux.

« Vous êtes venue ! » dit Arthur. Sa tête se dégageait et il sentit le frisson brûlant l'abandonner. « Malade d'amour, se dit-il, je devais être malade d'amour. »

La jeune fille se leva et sortit du bateau. Il vit qu'elle portait une longue cape verte, qui s'ouvrait à chaque pas sur une exquise robe blanche, comme une fleur qui s'épanouit.

« Elle est belle », se dit-il. Puis il remarqua avec une certaine émotion qu'elle portait aussi un masque, tout pareil au sien. Les orbites dans la face blanche et vide étaient noires comme la nuit. Les lèvres de papier, bien que légèrement séparées, dissimulaient les siennes dans l'ombre. Il n'aurait pu dire si elle souriait.

« Je suis rudement content que vous ayez pu venir, dit-il.

— *Mezzanotte*, dit le gondolier. *Mezzanotte* ». Cela sonnait comme un avertissement.

La jeune fille lui jeta un coup d'œil. « *Mezzanotte*, dit-elle et elle soupira.

— Qu'y a-t-il ? demanda Arthur, comme le bateau s'éloignait dans le noir.

— *Mezzanotte*. Minuit.

— Est-ce alors qu'il vous faut rentrer ?

— Oui.

— Comme Cendrillon ? »

Elle secoua la tête et dit, avec une pointe d'amertume : « Sans prince. »

« Eh bien, merci beaucoup », pensa-t-il, un peu vexé.

« Comment vous appelez-vous ? demanda-t-il.

— Nulla.

— C'est joli. Je... » commença-t-il, mais avant qu'il ait pu dire son nom, elle lui mit un doigt ganté sur les lèvres de son masque.

« Nulla, répéta-t-elle, Nulla.

— Comment ?

— Rien. Pas de nom. Rien. »

Ainsi, elle voulait rester incognito ! C'était peut-être la fille d'un prince italien qui s'échappait de son palais la nuit pour chercher aventure. Ou une vedette de cinéma qui craignait d'être reconnue. Son cœur battait d'excitation.

« Venez danser », dit-il.

Elle rit en battant des mains. « Danser », répéta-t-elle, et elle partit en pirouettant loin de lui sur le chemin au bord du canal.

« Hé ! C'est de l'autre côté ! » Il montrait l'entrée de l'hôtel. « Par là !

— Danser, dit-elle. Venez danser ! » Elle tendait la main dans son long gant blanc.

Il hésita puis alla vers elle. Leurs mains gantées se joignirent. Tandis qu'ils dansaient, la musique du bal de l'hôtel leur parvenait faiblement. La lumière des fenêtres dorait leurs faces blanches.

Ils dansaient encore et encore, par les rues étroites, sur les petits ponts, à travers les jardins de Venise, baignés de lune. Les gens se retournaient

Les orbites dans la face blanche et vide étaient noires comme la nuit.

pour les regarder passer. Quelqu'un leur cria quelque chose en italien. Une voix anglaise dit : « Oh ! regarde, comme c'est romantique ! »

« C'est romantique », se disait Arthur. Comme un rêve, comme un film. Il s'attendait presque à entendre quelqu'un chanter. « Je suis amoureux », pensait-il.

Mais en même temps, il ne s'amusait pas du tout, et se sentait vaguement mal à l'aise. Il essaya d'abord de parler à la jeune fille, mais son anglais à elle ne valait pas mieux que l'italien d'Arthur.

« Vous vivez à Venise ? demanda-t-il.

— Non.

— D'où venez-vous, alors ?

— Oui.

— Je veux dire : où habitez-vous ?

— Non. »

C'était sans espoir. A la fin, il avait renoncé et ils dansaient en silence. Il ne la quittait pas des yeux à travers les trous de son masque. Il aurait voulu voir son visage. Il se demandait ce qu'elle voulait. Attendait-elle qu'il l'embrasse ? Ou bien allait-elle le gifler et crier s'il essayait ? Si seulement elle lui donnait un signe... C'était la première fois qu'il sortait avec une fille, car celles de l'école ne comptaient pas vraiment. Il cherchait à se rappeler ce que disaient les autres garçons : « Baratine-les un peu. Dis-leur qu'elles sont jolies, tout ça... » Si seulement elle parlait anglais.

« Vous êtes belle, dit-il. Bella.

— Oui.

— Je vous aime.

— Non. »

Arthur faisait d'horribles grimaces sous son masque et ils dansaient toujours. Il en avait vraiment marre, et commençait à soupirer après minuit, quand son gondolier viendrait la chercher. Enfin, il aurait au moins quelque chose à leur raconter, au collège. « J'ai rencontré cet extraordinaire oiseau italien, dirait-il, qui ne connaissait pas le sens du mot "non"... »

La jeune fille dansait plus vite à présent, l'entraînant d'un pas rapide qui lui donnait le vertige. Il devait être près de minuit. Sans doute avait-elle peur d'être en retard. Ses parents devaient être sévères...

Maintenant, l'eau sombre d'un canal était de nouveau près d'eux. Il supposa qu'ils retournaient près des marches. Il essayait de reconnaître les bâtiments, de chercher son hôtel mais ils allaient trop vite. Tout se brouillait devant ses yeux : les ombres, les lumières, le miroitement de l'eau... Ils se ruaient à travers la nuit comme un vent glacé.

Tout à coup, il eut peur. Il tenta en vain de libérer ses mains des siennes, mais en vain.

« Arrête ! cria-t-il. Je t'en prie !

— Danse ! dit-elle, l'entraînant plus vite encore. Danse ! »

Alors, le carillon sonna minuit.

Sa force frénétique sembla l'abandonner. Elle cessa de danser et, debout près de lui, se mit à trembler dans l'air froid qui montait du canal.

« Minuit, dit-il avec soulagement. L'heure de lever ton masque.

— Non.

— Oh ! allons, embrassons-nous.

— Non. »

Ce n'était pas juste ! Après toute cette danse mortelle... Elle s'était éloignée de lui et il la saisit par sa cape pour essayer de la ramener.

« *Fuggi ! Fuggi !* dit-elle. Sauve-toi vite, pauvre petit garçon ! »

C'en était trop. Furieux, il étendit la main et lui arracha son masque.

« Oh ! Dieu ! » cria-t-il.

La chevelure était venue avec le masque, les longs cheveux roux, comme une algue enlacée à une pierre. Et il n'y avait pas de visage. Pas d'yeux, pas de bouche, rien ! Les vêtements demeurèrent un instant debout devant lui, comme un corps sans tête, puis lentement ils commencèrent à se froisser et à tomber. Il jeta avec horreur le masque, qui tomba la face vers le ciel — et elle fut là de nouveau, couchée à ses pieds ; le pâle visage, la longue chevelure rousse déployée sur le dallage de pierre, les vêtements vides prenant la forme d'un corps mort.

Des pas sonnèrent derrière lui ; on criait. Gémissant de terreur, il s'enfuit.

Il courait à l'aveuglette par les rues sombres, sans savoir où il allait, ne cherchant qu'à s'échapper. Soudain, il y eut des lumières tout autour de lui, des gens. De petits orchestres qui jouaient devant des cafés : il était place Saint-Marc. Il eut un mouvement de recul ; il lui semblait que tout le monde le regardait. Vivement, il repartit.

Il faillit hurler encore : dans l'ombre, de blancs visages l'observaient, des faces pâles et vides avec des yeux comme des taches d'encre. Alors il comprit que c'était son propre reflet : il regardait la vitrine d'un marchand de miroirs, et il portait toujours son masque.

Il fallait l'enlever, sinon il se trahirait ; on cherchait sans doute un jeune homme portant un masque blanc. Il se débarrassa de ses gants, et ses doigts maintenant trouvèrent sans peine le bord du masque puis l'arrachèrent.

C'était mieux. Il n'y avait plus de faces pâles pour le guetter dans les miroirs. Il n'y avait... *rien* ! Il s'approcha davantage, plongea son regard dans les miroirs. Où était-il ? Où était son visage ? Il baissa les yeux — *où étaient ses mains* ? Rien ! Rien ! Pas de mains ! Pas de visage !

Il courut en hurlant sur la place comme une ombre noire. Les gens, qui flânaient main dans la main, ne semblaient pas l'entendre. Il saisissait leurs bras de ses invisibles mains et eux ne s'apercevaient de rien. Riant et bavardant, ils continuaient leur promenade.

« Au secours ! Au secours ! » cria-t-il.

Alors, il vit tante Millicent qui allait elle aussi main dans la main avec le gros homme aux cheveux clairsemés, un des clients de l'hôtel. Elle avait enlevé son masque et souriait. Dans la douce lumière, son visage semblait rajeuni.

« Tante Millicent ! Tante Millicent ! »

Elle se retourna, regarda çà et là, déconcertée.

Ses doigts trouvèrent sans peine le bord du masque...

« Je croyais avoir entendu appeler, dit-elle.

— Tante Millicent ! C'est moi ! Au secours !

— Artie ? » fit-elle. Ses yeux regardaient au-delà de lui. A travers lui. « Non, ce n'est rien, dit-elle. Curieux : j'ai cru une minute entendre Artie.

— Je ne suis pas *rien* ! C'est moi, Arthur Brown. Ton neveu, dit-il, essayant de se tirer lui-même hors du vide. Le fils de ton frère Tom. Souviens-toi de moi ! J'ai une figure ronde, le nez retroussé, les joues roses, les cheveux bruns. Mes mains sont rouges et mes doigts comme des saucisses — et je veux les retrouver ! »

Un soudain nuage de poussière passa entre lui et sa tante. Les fines particules montèrent en spirale, en colonne, se rassemblant enfin jusqu'à former une vague silhouette humaine. Stupéfait, il vit, faite de cette poussière dansante, sa propre figure, ronde et familière, cette figure dont il était naguère si mécontent. Elle semblait le regarder timidement, incertaine, comme pour dire : « Quitterai-je la danse ? Ne savais-tu pas que c'était une danse de mort ? Je croyais que tu ne m'aimais pas. Es-tu sûr de vouloir mon retour ? »

« Artie ? dit tante Millicent. Est-ce toi ?

— Oui. Oui, c'est moi », dit-il gaiement, et il avança dans l'étrange poussière. Il la sentit le picoter tandis qu'elle se déposait sur son visage invisible. Il tendit les mains, suppliant, et vit avec ravissement deux brumeuses taches roses se former dans l'air, puis se solidifier et se changer en mains, ces mains qu'il croyait avoir perdues pour toujours.

« Mais, Artie, te voilà ! Mon pauvre garçon, que s'est-il donc passé ? dit tante Millicent en le prenant dans ses bras.

— Je déteste Venise, dit-il en sanglotant. Je veux rentrer à la maison. »

Table

Composition réalisée par COMPOFAC - PARIS

IMPRIMÉ EN FRANCE PAR BRODARD ET TAUPIN
Usine de La Flèche (Sarthe).
LIBRAIRIE GÉNÉRALE FRANÇAISE - 6, rue Pierre-Sarrazin - 75006 Paris.

ISBN : 2 - 253 - 04266 - 8

42/0259/4